世界でいちばん素敵な
哲学の教室

The World's Most Wonderful Classroom of Philosophy

はじめに

「哲学」と聞いて、みなさんはどのようなイメージをお持ちですか?
「難しくて理解できない」「漠然としてる」「実生活の役に立たない」など、
近寄りがたい印象を抱いている方も少なくないことでしょう。

“世界・人生などの根本原理を追求する学問”と、
辞書にある説明を見ると、ますます混乱するかもしれません。
哲学が分かりづらいのは形がないから。
つまり、物事に対する見方や考え方“そのもの”が、哲学という学問なのです。

真理とは何か、誰もが納得できる認識って、よい社会は、豊かな人生とは……。
約2500年もの長い歴史において、
数々の哲学者たちはこうした問題を考え続けてきました。
ただそれは、今日を生きる私たちにとっても当てはまる、
誰もが一度は抱いたことのある疑問ではないでしょうか。

哲学がどのように営まれ、受け継がれてきたのか——。
本書では、偉大なる哲学者たちが導き出したいくつもの答えを、
歴史の流れ、美しい風景、絵画と共に辿ります。

「物事を自分で考える方法」でもある哲学は、
困難に直面したときや人生の大きな決断を迫られたときに力を発揮します。
哲学者たちが悩んで悩んでたどり着いたその方法が、
きっとみなさんの役にも立つはずです。

『最後の審判』（ミケランジェロ・ブオナローティ）。ルネサンスを代表する芸術作品で、バチカン宮殿のシスティーナ礼拝堂の天井に描かれています。

Contents 目次

『哲学とキリスト教美術』（ダニエル・ハンティントン）。

Q
哲学って何？

A
問題を解き明かすために「本質」を洞察し、普遍的な「考え方」を見出す営みのことです。

優れた洞察力で問題の端緒をつかみ、共有し、人々が納得できる答えを示した人物たち。哲学とは、彼らの考えを引き継ぎ、より普遍的なものへと展開してきた学問です。

『アテナイの学堂』（ラファエロ・サンティオ）。アテナイ（アテネ）の学堂に集う古代ギリシアの哲学者たちを描いた絵。中央にいる赤いローブをまとった白髪の人物がプラトンで、その右隣にいるのが弟子のアリストテレスです。

一人ひとりの「生」の中に、考えるための「材料」があります。

哲学者たちは心の動きに目をこらし、それを概念へと仕上げてきました。
哲学の古典とは、いわば概念の伝統工芸なのです。

Q1 哲学はなぜ生まれたの？

A この世界（自然）のしくみを理解するためです。

古代のヨーロッパ哲学は、紀元前７世紀頃に古代ギリシアで誕生しました。

ここでいう「自然」とは、海や山などの自然のみを指すのではなく、この世界におけるありとあらゆる事象が起こるしくみを考察する、という意味です。

古代から近代の主な哲学者

古代 → 中世 → 近代 → 現代へ……

- 古代：タレス、ソクラテス、プラトン、アリストテレス
- 中世：アウグスティヌス、マキャベリ
- 近代：デカルト、ロック、ホッブズ、ルソー、カント、ヘーゲル、キルケゴール

Q2 哲学は何を探求してきたの？

A 私たちの生の意味や価値などです。

物事の根本をなす原理を究め、世界の起源や、生の意味をつかもうとしました。

ミレトスの劇場跡。ミレトスは自然哲学者のタレスなどを生んだことで有名な都市です。

Q3 哲学の中心の目的って何？

A よりよい世界の実現を可能にするための原理を創り出すことです。

思考の普遍的な原理をつかむことで、困難な状況に陥ったときも納得のいく解を導き出すことができるようになるでしょう。

哲学というものは、苦しいときや辛いときにこそ、その真価が問われます。

『アダムの創造』（ミケランジェロ・ブオナローティ）。神が最初の人類であるアダムに生命を吹き込む様子が描かれています。

Q
哲学の前身にあたるものはある？

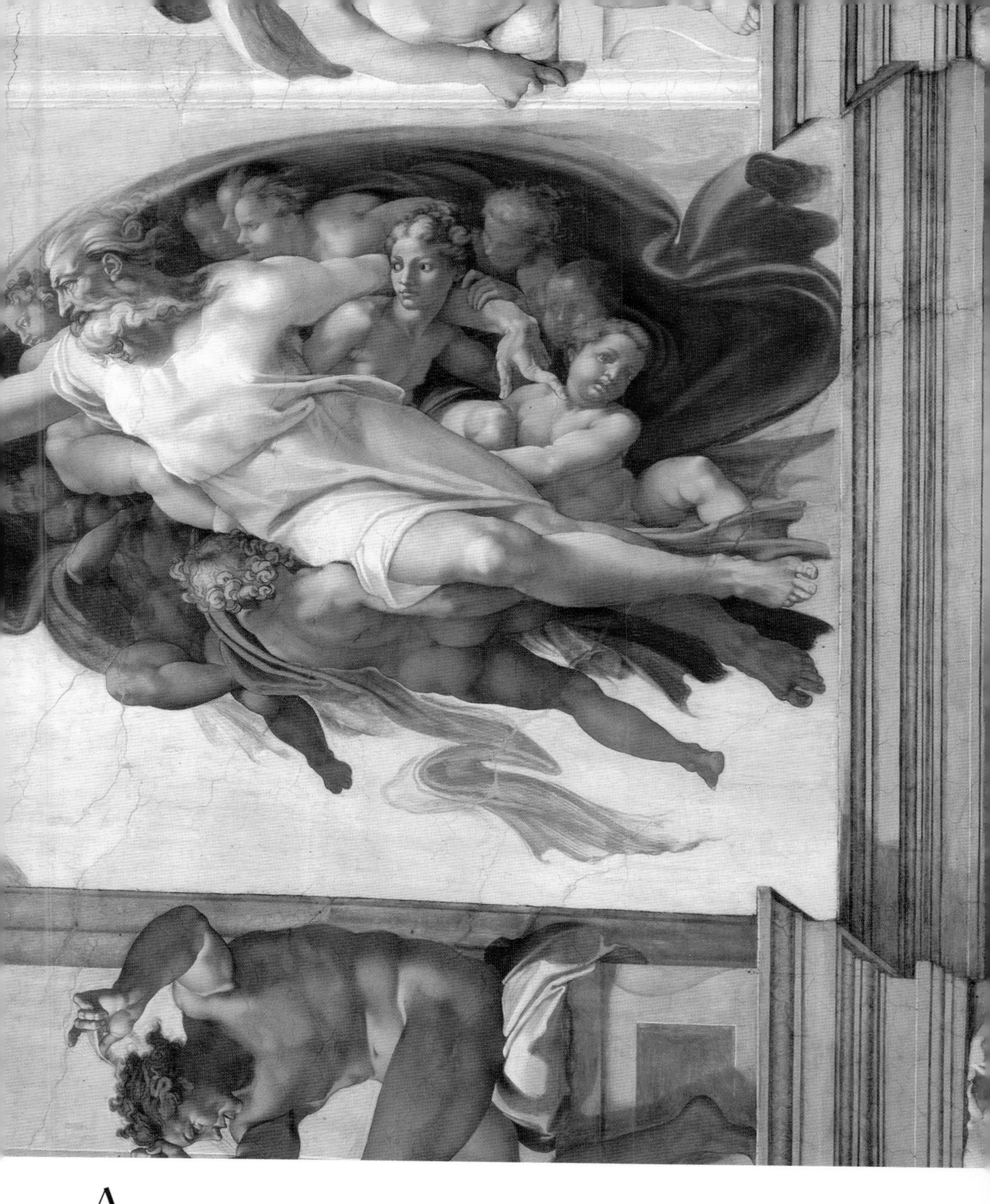

A
ギリシアの神話(ミュトス)は前身といえます。

それまでは、世界も人間も神々によって創り出され、支えられているという考え方がごく一般的でした。しかし、その神話的世界観を前提とせず、自然を根本の原理から合理的に考察する学問の営みとして、哲学が登場してきます。

神話の物語にたよらずに、世界を理解しようと考えました。

自然の物事や現象を、神話によってではなく、
「概念」によって説明し始めたとき、哲学が始まりました。

Q1 神話で満足できなかったのはなぜ？

A 文化の違いを超えられないからです。

最初の哲学者といわれるタレスは、神話や宗教には地域や文化によっての違いがあるため、世界の根本原理や究極原因についての普遍的な説明ができないことに気づきました。

『天の川の起源』（ティントレット）。天の川の誕生にまつわるギリシア神話が主題となっています。哲学が登場する以前、この世界のあらゆる事象は神話によって説明されていました。

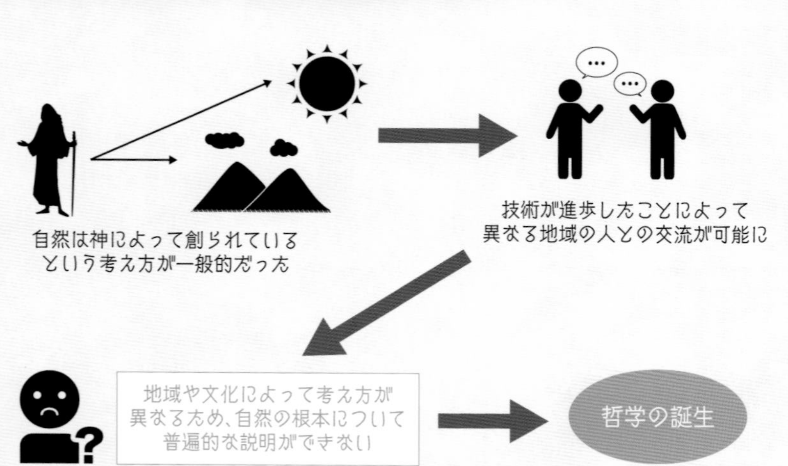
自然は神によって創られている
という考え方が一般的だった
技術が進歩したことによって
異なる地域の人との交流が可能に
地域や文化によって考え方が
異なるため、自然の根本について
普遍的な説明ができない
哲学の誕生

Q2 哲学と宗教との本質的な違いはどんなこと？

A 思考によって洞察を導くか、神話で解を得るかの違いです。

宗教は、世界は神が創ったという具体的な「物語」によって、世界の意味を教えるものです。対して哲学は、世界は根本にある最小単位によってできているという考えに基づき、抽象的な概念によって世界の意味を論じます。

古代ギリシアの哲学者、タレス（紀元前624～546年頃）。商人でもあり、数学、自然科学、測量術、天文学にも通じていました。

Q3 では、哲学と自然科学の違いは何？

A 哲学は、科学の土台になるものといえます。

哲学は、人間的な「意味の世界」の本質を探究するものといえます。科学は実験などを通して「現実の世界」を明らかにしようとする学問です。この世界は科学が探究する現実によって成り立つように見えますが、その現実は意味を認識することによって成り立っています。つまり、哲学の概念を土台として、科学は展開してきたといえるのです。

『デジタル大辞泉』（小学館）によると、自然科学とは「自然界の現象を研究する学問の総称のこと。実験・観察・数理に支えられて、対象の記述・説明、さらには事実間の一般法則を見いだし実証しようとする経験科学のことです。」とあります。

Q

どんなことを宗教というの？

A

世界や人間に対しての問いに、神話を通して答えることです。

宗教は「世界を知りたい」「救われたい」などの人間の精神的な本質を示しています。

信仰とは、神や仏など、ある神聖なものを（またはあるものを絶対視して）信じたっとぶこと。そのかたく信じる心のことです。

まず宗教が生まれ、次に哲学が現れ、そこから自然科学が成立しました。

宗教におけるひとつの本質には、神話に対する「信仰」があります。
信仰によって救われることもありますが、
しばしば争いの元凶にもなってきました。

Q1 最初に現れた宗教は？

A 1万2000年ほど前のメソポタミアに「ドメスティケーション」という考えがあったと推測されています。

ドメスティケーションには、飼育、順応、教化などの意味があります。メソポタミアの古代遺跡からは、信仰物としか考えられない土偶が発掘されています。「だれが太陽を昇らせているのか」などの考えを経て神の存在を意識し、宗教という概念が生まれたとされています。

古代メソポタミアのアッカド神話に登場する神・マルドゥクと彼のドラゴン、ムシュフシュ。

農耕や牧畜生活を営むために定住を始めた人間は、次第に動物や奴隷にとどまらず、あらゆるものを支配しようと考えました。そうした中で、自然界の根本原理（ルール）を求めて考え出されたのが、宗教の概念だったと推測されています。

Q2 信仰が争いの元凶になるって、どういうこと？

A 地域、民族、思想などで信じる宗教が異なるからです。

それぞれの宗教によって信仰の対象や考え方はまったく異なります。この宗教上の価値観の違いから、異なる宗教間で正しさをめぐる争いが起こることもあります。

イラン、ケルマーンシャー州にあるベヒストゥン碑文です。この碑文にはエラム語、古代ペルシア語、アッカド語の異なる３つの言語が記されています。

Q3 大規模な宗教戦争を教えて！

A 1618年から始まった三十年戦争は、「最後で最大の宗教戦争」といわれています。

現在のチェコ西部であるボヘミアを支配していた神聖ローマ帝国（カトリック勢力）に対し、プロテスタント（スウェーデンやフランス）が反乱を起こしたことにより始まりました。結果はプロテスタント側が勝利しました。

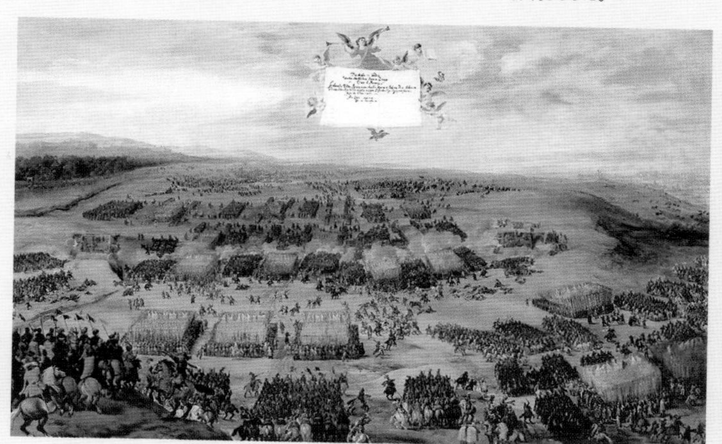

『白山の戦い』（ピーテル・スネイエルス）。
1620年11月8日、プラハ近郊で勃発した「白山の戦い」。三十年戦争は次第に国際的戦争へと発展し、人類史上最も破壊的な戦争のひとつともいわれています。

Q

哲学にはどんな種類があるの？

A 「西洋哲学」と「東洋哲学」に大別できます。

哲学は大きく分けて、ギリシアやローマなどのヨーロッパ思想を中心とする「西洋哲学」と、中国やインドといったアジアの思想を中心とする「東洋哲学」の2つがあります。その中でも、歴史の流れに沿って「古代哲学」「中世哲学」「近代哲学」「現代哲学」などと区分されます。また、アメリカ哲学やイスラーム哲学、日本の哲学といった、地域や文明の中で発達した哲学もあります。

中国・南京、秦淮河北岸の孔子廟。孔子（紀元前551頃〜前479年）は中国思想の祖であり、アジアや日本の思想へ多大な影響を与えました。

時代ごとに新たな考察が生まれ、東西で誕生した哲学は進化しました。

さらに哲学は、科学や数学、言語、政治などにも細かく分類されています。
様々な分野において、哲学による客観的な定義づけや、
概念の上に、研究や考察がなされているのです。

Q1「東洋哲学」と「西洋哲学」は何が違うの?

A 大きな違いは、「教訓」としての東洋哲学と、「学問」としての西洋哲学として位置付けることができます。

東洋哲学は「いかに生きるか」という実践的な観点から、人生の道標を示そうとしています。一方で西洋哲学は、事象のもつ普遍的な本質を合理的に解明することに努めています。

東洋哲学の中でも、中国哲学の歴史は古く、その思想源流は春秋戦国時代(紀元前770～紀元前221年)にまで遡ります。

東洋哲学

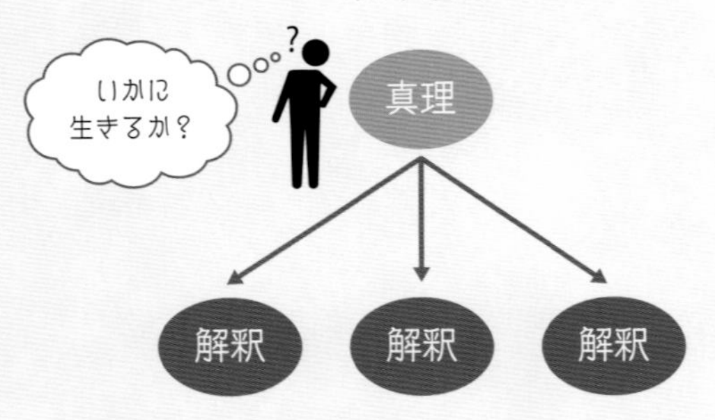

ひとつの真理に対し、「いかに生きるか」という観点で様々な解釈がなされる

西洋哲学

普遍性

合理的な論理

合理的な論理

合理的な論理

合理的な論理を階段のように積み重ね、その先に普遍的な本質を見い出す

Q2 中国哲学ってどんな哲学？

A 儒学や老荘思想などが中国の思想の礎となりました。

春秋戦国時代に諸侯に教えを説く学者の中から儒家哲学や老荘思想が生まれ、のちの道教・中国仏教・陰陽五行思想をふくめて中国の思想体系は形成されました。儒学は漢時代から長く中国の政治思想の礎となってきました。

孔子教育の図（中国広東省湛江市孔子文化都市）。

日本の思想・哲学のはじまり

儒教は古代の日本に伝わり、長く政治・文化面で影響を与え続けました。西洋思想や西洋哲学は、明治以降の文明開化の時期、福沢諭吉や西周（にしあまね）らによってもたらされました。日本の哲学の出発点は、1862（文久2）年に西周が書いた『哲学講義録』だといえます。彼の説いた「三宝とは何たるやといふに、第一に健康、第二に知識、第三に富有という三つのものなり」という言葉が広く知られています。

西周（1829～1897年）。彼は「philosophy」という言葉を「哲学」という和製漢語として翻訳しました。

Q
哲学の始まりはいつ?

ギリシア語の哲学(philosophia)の語源は、「愛(philein)」と「知(sophia)」を結び合わせたもので、「知を愛する」という意味が込められた単語です。

A

紀元前7世紀といわれています。

哲学は神話などの物語を使わずに、世界の根本の単位、原理を探究し、この世界全体を統一的に説明する営みとして誕生しました。タレスという人物が、哲学の創始者といわれています。

だれもが納得する万物の根源をタレスは見出そうとしました。

タレスはギリシアの植民市ミレトスに生まれた自然哲学者で、
ギリシア七賢人のひとりです。

Q1 タレスは万物の根源を何と考えたの？

A 水です。

タレスは目の前に広がる世界を観察し、すべてのものには水分があると洞察し、「世界は水からできていて、水によって動いている」と主張しました。大地は水の上に浮かんでいると考え、すべてのものは水から変化したものであると説きました。

タレスの出身地はエーゲ海東部の港湾都市として栄えたミレトスです。

Q2 なぜ万物の根源を探求したの？

A 世界は神が創ったのではなく、自然の中に答えがあると考えたからです。

これまで世界の成り立ちや自然現象は神々によるものだと考えられていました。しかしタレスは、地域による神話の違いや対立に気づき、だれもが納得できる万物の根源を、自然世界の中から見出そうとしたのです。

『エデンの園のアダムとイヴ』（ヨハン・ウェンゼル・ピーター）。エデンの園は旧約聖書の『創世記』に登場する神が創った理想郷のことです。

代表的な自然哲学者にはタレスの他に、ピタゴラス、ヘラクレイトス、アナクシマンドロス、アナクシメネスなどがいます。

Q3 自然哲学者にとっての「自然」って何？

A あらゆる物事、という意味です。

彼らは人間や社会、神々なども含めた世の中に存在するすべてのものを「自然」と呼び、その原理やあり方について取り組みました。より多くの人が納得できるように、どのような言葉（概念）で呼べばいいかという観点から、哲学が行われるようになりました。

★COLUMN2★

ギリシア七賢人とは？

紀元前7～6世紀のギリシアで活躍した7人の知者のこと。タレスの他、クレオブロス、ペリアンドロス、ピッタコス、ビアス、キロン、ソロンを指します。なお、この七賢人の名は紀元前後の書物に登場しますが、書物によって登場する人物が異なります。

Q

最も大きな影響を与えた古代ギリシアの哲学者はだれ？

古代ギリシアの象徴的な建造物であるパルテノン神殿。

A
プラトンでしょう。

プラトンは「イデア論」を唱えた人物としてよく知られています。20歳のとき、ソクラテスの思想に魅了され、弟子となりました。

プラトンを語るうえで、ソクラテスは欠かせません。

ソクラテスが裁判にかけられて死刑になったとき、プラトンは大いに衝撃を受けました。
その後、師であるソクラテスの思想を受け継いで発展させつつ、
人が「よく」生きるためにに必要なあり方を探究する道を歩みます。

Q1 「イデア」って何？

A 物事の本質（真の実体）のことです。

たとえば人間や犬、自然の物事や三角形に至るまで、あらゆる物の存在には理想的な姿があると説きました。そして、それらの真の実体（イデア）は、現実を超えた天上界（イデア界）に存在していると考えたのです。

ギリシアのアテネ・アカデミーの前に建つソクラテスの像。

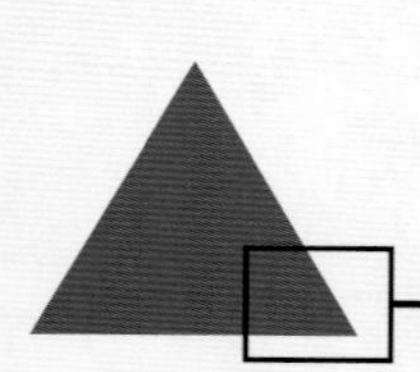

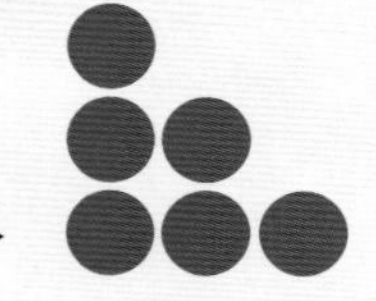

拡大すると

一見、完璧な三角形に見えるが……

原子レベルでは丸みがあり完璧な三角形ではない

現実世界に完璧な三角形は存在しない

しかし、私たちが「完璧な三角形」というものを頭では理解することができるのはなぜ？

天上界に「真の実体＝イデア」が存在する

②Q どんなイデアをプラトンは重視したの？

A 正義や美のイデアなどです。

プラトンのイデア論において、いちばん重要なイデアは「善のイデア」といわれています。これはプラトンが、人間的な価値の本質を求めることが哲学においていちばん重要なテーマだと考えていたからです。

プラトンはイデア論を説明するために、著書『国家』の中で「洞窟の比喩」を用いました。この比喩(例え話)で、現実の人間は洞窟の奥で身動きが取れない囚人と同じであるとして、人間が知覚している世界の限界やイデア論の理念に対する認識に関する考えを表しました。

③Q なぜ本質を探求しなければならないの？

A 人間が生きることの意味や理由、価値を見出すことができるからです。

プラトンは哲学を「世界とは何か」という問いから「人が生きることの意味」という問いへと向けかえました。本質を探究することで、人生をよりよく生きることができると考えたプラトンは、それまでの伝統的な慣習や、宗教的な世界像からまったく新しい考えを立て直したのです。

プラトン（紀元前 427 〜紀元前 347 年）は、アテナイに生まれ、ソクラテスの一番弟子として哲学や対話術などを学び、のちに天文学、生物学、数学、政治学、哲学などを教える「アカデメイア」という学園を創設しました。またプラトンは師ソクラテスを描いた『ソクラテスの弁明』などの著作を多く残しています。右はラファエロの『アテナイの学堂』に描かれているプラトン。

Q プラトンは、人が「よく」生きるために何が必要と考えたの？

『プラトンの学校』（ジャン・デルヴィル）。中央にいるのがプラトンで、それを12人の弟子たちが囲んでいます。

A「徳（アレテー）の追求」です。

プラトンは、ソクラテス的な生き方の意味を問う中で、師ソクラテスの「人間としてよく生きるには?」という問題意識を継承します。ソクラテスは内面的な魂に目を向け、思慮を巡らせて真理を求めることこそが最重要だと唱えました。

哲学者にとって最も大切なのは、「イデア」を捉えること。

「哲学者はみずからの肉体から離脱しなければイデアを捉えることができない」と、プラトンはいいます。肉体というものは、真理を認識することにおいては障害であり、肉体にとらわれていては何が真のイデアであるかを理解できないと考えました。

Q 真のイデアはどのようにしたら捉えることができるの？

A 「魂（プシケー）の不死」によって見ることができるといいます。

プラトンによると、魂は不死であり、肉体の死後、時空を超えてあの世へ行き、初めて純粋な魂となるとされます。魂が肉体に縛られているうちは肉体を通じて感じ取った認識しか得ることができず、純粋な理念や本質を捉えることはできないと考えました。

プラトンがアテネ郊外に開設した学校「アカデメイア」のモザイク画。

魂
肉体の死後
魂
魂は肉体に縛られているため、肉体を通じて感じ取った認識しか得ることができない。
魂は不死であり、肉体の死後に初めて純粋な魂となる。

②Q 魂が不死ってどういうこと？

A 再び生まれ変わるということです。

たとえ肉体が死んだとしても、魂は何度も繰り返し生まれ変わり、肉体の中に入り込むとプラトンは考えました。つまり私たちがこの世界で認識していることは、かつての魂が見たイデアを想起するということなのです。それは、現在私たちが「人生」と呼んでいるこの期間だけでなく、この先ずっと続いていくと考えられています。そのためプラトンは、この世界で人間のすべてを支配するのは魂であるとし、魂をよりよいものへと磨き上げていく必要があると主張しました。

プラトンのシンポジウムの一場面を描いた絵画（アンゼルム・フォイエルバッハ）。

③Q 魂をよりよいものに磨き上げるためには何が必要なの？

A 自分の魂に絶えず気を配ることです。

魂の配慮（自己配慮）とは、魂に徳がそなわるように気遣い、優れたよいものになるように努めることです。「よく」生きるためにこそ、善のイデアを見抜くことが必要であるとプラトンは考えました。

ギリシアにあるアテネ・アカデミー。

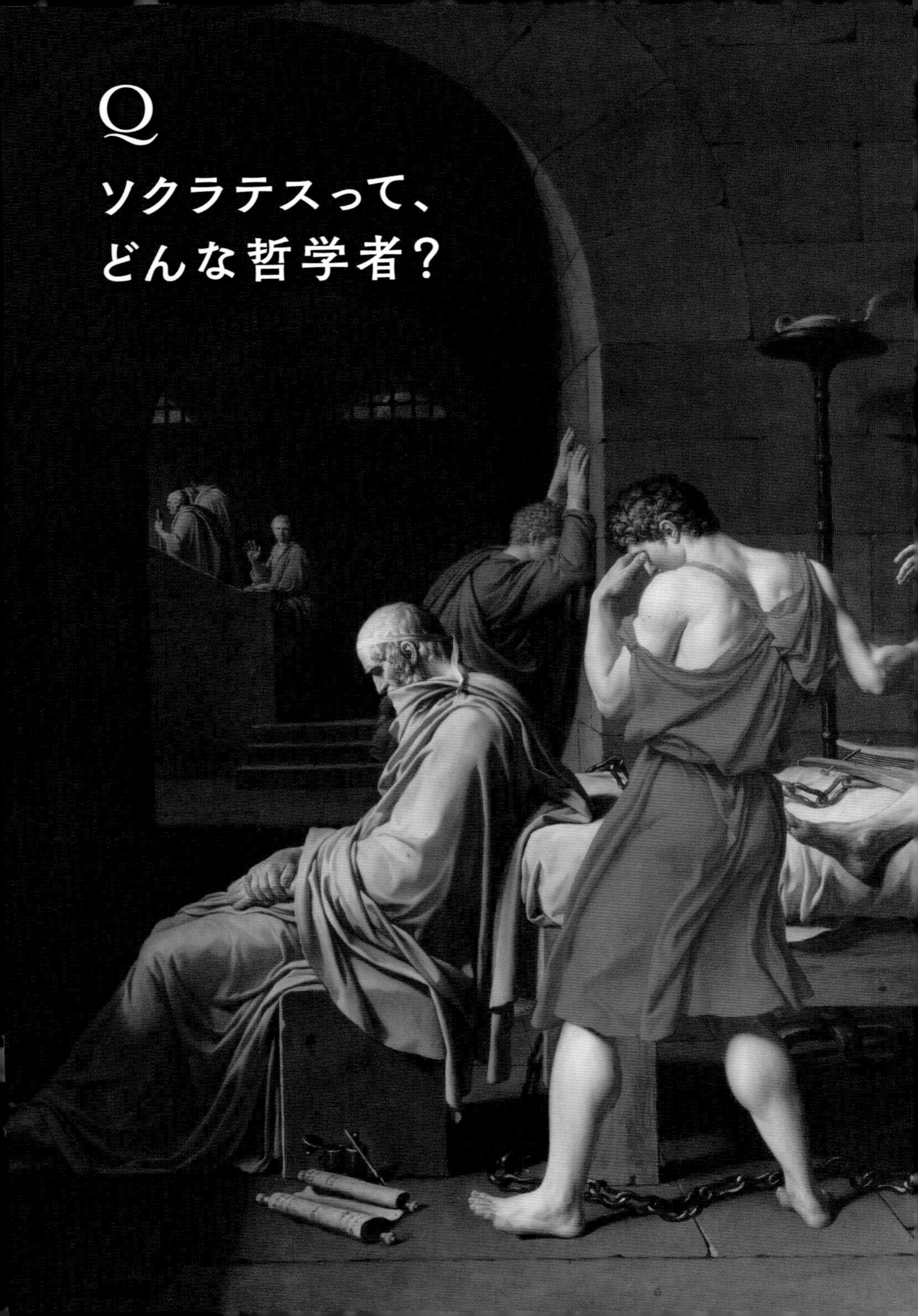

Q
ソクラテスって、どんな哲学者？

A
「対話法」を用いて「無知の知」の自覚を促しました。

ソクラテスは、「哲学の父」と呼ばれる一方で、「ソフィスト」の言論活動に対する批判者でもありました。

『ソクラテスの死』(ジャック=ルイ・ダヴィッド)。ソクラテスの処刑を、プラトンの著書『パイドン』に基づいて描いた作品です。

ソフィストの相対主義的な思考を痛烈に批判したソクラテス。

ソクラテスはソフィストによって「青年を堕落させた罪」で告訴され、
死刑判決を受けてしまいます。
しかし彼は「たとえ悪法でも法を破ることはよく生きるといえない」として、
その理不尽な判決を受け入れ、自ら毒杯をあおりました。

Q1 ソフィストって何？

A 弁論術の教師たちのことです。

彼らは真実や価値は人の見方によって異なるため、絶対的な真理は存在しないという相対主義の立場を取りました。重要なのは、本当に正しいかどうかよりも、弁論によって相手に正しいと思わせ、説得することだと考えていたのです。

演説をする古代ギリシアの政治家・弁論家のデモステネスを描いた絵（ジャン＝ジュール＝アントワーヌ・ルコント・デュ・ヌイ）。当時、アテナイ（アテネ）の政治は直接民主制であり、市民にとっての理想は政治家として成功することにありました。そのため、ソフィストたちは主に裕福層から授業料を受け取って、新しい知識や議論に勝つための弁論術などを教えていました。

『デモクリトスとプロタゴラス』（サルヴァトール・ローザ）。
代表的なソフィストのひとりがプロタゴラス（紀元前500～紀元前430年頃）です。彼は初めて自らを「ソフィスト」と名乗った人物であるといわれています。「人間は万物の尺度である」という成句のとおり、「価値観は人それぞれの主観により異なり、つまり普遍的な真理は存在しない」という相対主義的な考えを説きました。しかし後に彼は「神の存在は知ることができない」と述べたために、追放刑に処されました。

Q2 「無知の知」って、どういう意味？

A 「自分がいかに無知であるかということを自覚する」という意味です。

プラトンの著書『ソクラテスの弁明』によると、ある日ソクラテスがデルフォイの神殿で「自分よりも賢い人はいるか」と尋ねたところ、「ソクラテスよりも賢い人はだれもいない」という神託を受けたといいます。これを聞いたソクラテスは「自分はものを知らないのになぜだろう」と驚き、多くのソフィストや知識人と議論を重ねましたが、彼らは世間をうまく生きていく知識は豊富に持っていても、人間として最も重要な意味や価値を知らないということに気がついたのです。そこで初めて「自分はものを知らないが、自分が知らないということは知っている。その時点で他人よりも賢いのだ」と考え、神託に納得しました。

フランスのルーヴル美術館に収蔵されているソクラテスの胸像。ソクラテス（紀元前470頃～紀元前399年）は、アテナイ出身の古代ギリシアを代表する哲学者。人との対話や議論を重視したソクラテスは、その終生において著作を残すことはありませんでしたが、彼の思想や生涯については弟子のプラトンの他、友人や知人などが残した書物から知ることができます。

『ソクラテスの死』（ジャック＝フィリップ＝ジョセフ・ド・サン＝カンタン）。

Q3 無知を自覚するとどうなるの？

A 真実を求めようとする動機が生まれてきます。

ソクラテスは、自分が無知であることを自覚することで、真理を求める情熱を呼び起こすことができると考えました。私たち人間は自分が知っていることに対して「知りたい」と思うことはありません。「知らない」からこそ知りたくなるのです。つまり、無知を自覚しないことには、本当のものを「知りたい」という気持ちが生まれることはなく、真実を求めようとすることはできません。

古代都市デルフォイにあるアポロン神殿で、ソクラテスは神託を伝えられました。

★COLUMN3★

デルフォイの考古遺跡

古代ギリシアの聖域とされていたデルフォイには、ポイポスやアポロンを祀った神殿がありました。神殿の入口には、「汝自身を知れ」などの有名な格言が刻まれていました。紀元前370年頃の遺構が現存しており、「デルフォイの考古遺跡」として世界遺産に認定されています。

クリーブランド美術館に所蔵されている『アポロンとウーラニアー』（シャルル・メニエ）。アポロンはオリュンポス十二神の一柱で、芸術の神、予言の神として知られています。

Q ギリシアの哲学者たちは恋愛についてどう考えていたの？

『プラトンの饗宴』(アンゼルム・フォイエルバッハ)。

A プラトンが『饗宴』や『パイドロス』で恋愛について論じています。

『饗宴』では、パイドロス、パウサニアス、エリュクシマコス、アリストパネス、アガトン、ソクラテスの6人を登場人物として、ギリシア神話に出てくる「エロース」という恋愛の神について論じています。

肉体の愛がダメで 精神の愛がよいわけではない。

初めは美しい見た目に惹かれて恋をするかもしれません。
しかし恋愛の過程で、相手の内面の美しさを自覚し、そのような経験の中で、
人間の「美の本質」をつかむことができるようになるのです。

Q1 エロースってどんな神?

A ギリシア神話に登場する恋愛の神です。

ソクラテス以外の5人は、みな共通してギリシア神話をもとに、エロースについて論じ、賞賛しました。これについてソクラテスは、「賛美の仕方は素晴らしいが、思い込みや想像による考えであり、エロースについての本質ではない」と批判します。

プラトンが『饗宴』で描いた物語の中で、ソクラテスが預言者のディオティマという女性に、エロース、すなわち恋は私たちにとって一体どのような意味があるのかと尋ねる一節があります。ディオティマはこの問いかけに対して「正しき恋」の道について説いています。

ソクラテス以外の5人の主張

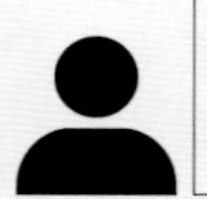

エロースは偉大なる神である。
パイドロス

エロースは「世俗的」な神と「天上的」な神の2神に分かれる。
パウサニアス

エロースはただ少年の美を求めるのではなく、徳を目指すからこそ讃えられる。
エリュクシマコス

人間が男女に分かれる前の本来の姿を取り戻そうとすることは自然なことである。
アリストパネス

エロースは最も美しく高貴な神だ。そして正義の徳、慎みの徳、勇気の徳、知恵の徳を備え、ひとたびエロースに触れられるとだれもが詩人になる。
アガトン

Q2 ディオティマはソクラテスの問いに何て答えたの？

A 「恋とは、よきものが永遠に自分のものであることを目ざすもの」と説きました。

ここでいう「よきもの」とは、宗教的、道徳的な善悪のことではなく、情動から湧き上がってくる「よさ」のことです。相手の行動やちょっとした仕草などの中に「よさ」を見つけ、それを自分のものにしたいという欲望こそが恋であるとディオティマはいいました。
※このエピソードは『饗宴』に登場する物語の一節です。

『シムラー・ディオティマ』（ヤコブ・ヨゼフ・シムラー）。「ディオティマ」という名には「ゼウスによって讃えられた」という意味があります。

Q3 プラトンは恋の本質を何だと考えたの？

A 『饗宴』の中で、「恋の本質はよき狂気である」と説きました。

プラトンは恋愛の欲望の本質は「憧れ」であり、完全になりたいという願いであると考えました。さらにその欲望は盲目的で、しばしば世間的な価値観と対立した形を取るといい、これを「狂気」と表しました。恋とは、世界から超越した美しく神聖なイデアに到達しようとする、魂の「憧れ」なのです。

『プシュケと玉座のヴィーナス』（エドワード・マシュー・ヘイル）。手前で項垂れている少女はギリシア神話に登場する人間の娘「プシュケ」で、玉座に座っているのが美の女神「ヴィーナス」（エロースの母親）です。プシュケは絶世の美女として人々の間で話題になっていましたが、ヴィーナスはこれに嫉妬し、プシュケが子孫を残さぬよう鉛の弓矢で撃つように息子エロースに命じました。しかしエロースは、プシュケのあまりの美しさに見惚れてしまったために誤って金の矢で自身を傷つけてしまい、目の前に眠るプシュケに恋をしてしまったのです。

Q プラトンの弟子で有名な人物はいる?

アテネ・アカデミーのファサード。女神アテネ誕生を表す彫刻が刻まれています。

A アリストテレスがそのひとりです。

アリストテレスは、『形而上学』や『ニコマコス倫理学』などの著書を残し、当時の哲学を論理学、自然学、倫理学、政治学などの学問として分類しました。その体系が多くの学問や科学分野の基礎となっていることから、「万学の祖」と呼ばれています。

現実世界の内側から物事の意味を探求しました。

現実を超えた世界(イデア界)について論じたプラトンの「イデア論」を批判して、アリストテレスは、現実に存在する物事から本質(意味)を洞察する立場を取りました。

Q1 アリストテレスはどのように本質を探求したの?

A 現実世界の事象を様々な側面から観察し、体系的に研究しました。

対話に基づいて本質を探求したソクラテスやプラトンとは異なり、アリストテレスは現実世界の事象について調査・観察を行い、仮説を立て、それを検証することを繰り返して答えを導き出すという方法を用いました。こうした思考の方法が、それ以後の学問の基本となっていきます。「三段論法」などもそのひとつです。

アリストテレス(紀元前 384 ~紀元前 322 年)は、医者の息子として生まれ、17 歳でアテナイの「アカデメイア」に入門し、プラトンの弟子となりました。

Q2 「三段論法」についてもっと教えて!

A 論理学の主軸を担うものです。

「三段論法」は「大前提」「小前提」の異なる2つの命題から、1つの結論を導き出すという論理のことです。代表的な命題の例として次のようなものがあります。「人間ならば死ぬ。ソクラテスは人間である。ゆえにソクラテスは死ぬ」。アリストテレスにおいて、論理学とは学問を行うための優れた道具であり、三段論法はその主軸を担うものでした。

『若いアレキサンダー大王をアリストテレスに紹介するオリンピア』(ジェラルド・ホート)。紀元前 343 年、41 歳のとき、アリストテレスはマケドニア王フィリッポス2世の招きで首都ペラへ行き、当時 13 歳であった王子アレクサンドロス(後のアレキサンダー大王)の教師となりました。

Q3 アリストテレスは人間のあり方をどのように考えたの？

A 人間は「最高善」としての幸福を“究極の目的”とするものであると説きました。

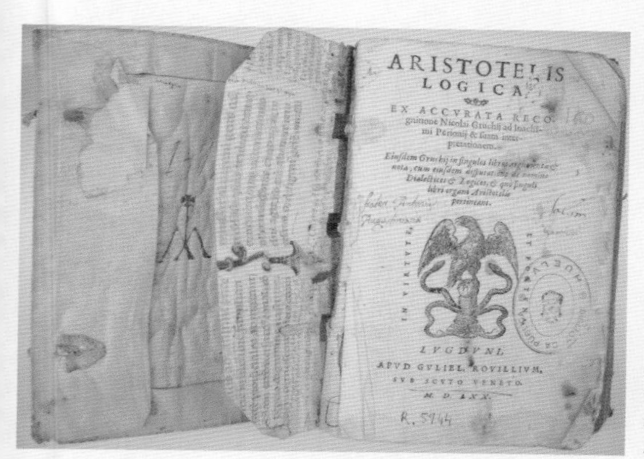

この世界には様々な“目的”が存在します。たとえば、富や名声があげられますが、これ自体は根本の目的にはなりません。アリストテレスは、主著『ニコマコス倫理学』で人間の行為の最終的な目的は「幸福」であるとし、行為による幸福の実現に最高善があると考えました。

スペインのウェルバ州立公共図書館が保管している最古の作品は、1570年版のアリストテレスの『論理』であり、16世紀のフランス人文主義者であるニコラス・グルチオとホアキン・ペリオニオによってラテン語に翻訳され、グリエルモ・ロヴィリウムによってリヨンで印刷されました。

Q4 幸福（最高善）を得るためにはどうすればいいの？

A アリストテレスによると、「中庸の徳」を身につけなければいけないとなります。

中庸とは、人間の行為や感情が過度と不足の両極端ではなく、中間に位置していることをいいます。たとえば“無謀”と“臆病”を対立させた場合、その中庸には“勇気”があるとしました。アリストテレスは、理性・知性と、欲望・感情のバランスが取れた状態であることが、最高善を得るために重要な「徳」（人間の持つ気質や能力）であると考えたのです。

『アリストテレス』（ルカ・ジョルダーノ）。自分の著書を指し示すアリストテレスを描いたジョルダーノはバロック後期のイタリア人画家です。

『アレクサンダーとアリストテレス』(チャールズ・ラプラント)
13歳から3年間、アリストテレスの教えを受けたアレクサンダーは、紀元前336年20歳でマケドニア王アレクサンドロス3世となりました。

Q 古代ギリシア哲学は その後どうなったの？

A　衰退の兆しが見え始めます。

紀元前４世紀頃、古代ギリシアのポリス（都市国家）はマケドニア王国によって制圧され、ギリシアはマケドニアの支配下に置かれることになります。そして、アリストテレスの教え子でもあったアレクサンドロス大王は、西アジアに築いた自らの帝国にギリシア人を住まわせる「東方遠征」を行いました。これによりギリシア本土から人口が激減し、都市国家という故郷を失ったギリシア哲学は、厳しい現実に対応しつつ個人のあり方に視点を向けたものへと変化していきました。

東方遠征で生まれた「ヘレニズム」という新しい文化。

東方遠征によって世界各地にギリシア人が分散したことで、
ギリシア文化とオリエント（東洋）文化が融合した「ヘレニズム」の文化が成立します。
帝国の拡大につれて、人々の中には、国家や民族といった枠組みを超えた
より広い世界での人間のあり方を探究する
コスモポリタニズム（世界市民主義）の意識が広がっていきます。

Q1 ヘレニズム時代の哲学の特徴は？

A より広い世界の中で“個人”として生きるための知恵を模索したことです。

この時代に、エピクロスが始祖である「エピクロス派」と、アテナイで活躍したゼノンが創始した「ストア派」が登場します。この２つの哲学は、世界全体のあり方を原理的に探求する代わりに、世界における人間の生き方について探求しました。

愛馬ブケパロスに乗って戦うアレクサンドロス３世。イッソスの戦いを描いたモザイク壁画（部分図）です。ブケパロスは暴れ馬で、アレクサンドロス３世以外だれも乗りこなすことができなかったといわれています。

Q2 エピクロス派はどんな思想を説いたの？

A 人間の快楽を肯定する「快楽主義(アタラクシア)」を提唱しました。

エピクロスが肯定する「快楽」とは、飢えや渇きといった肉体的・精神的な苦痛から解放された「穏やかな状態」のことをいいます。エピクロスは、一時的な欲望に支配された快楽ではなく、質素で慎ましい自然な生活を送ることに「快楽」があると説きました。

エピクロスの胸像。アテナイの植民地であったサモス島の入植者の子として生まれたエピクロスは、教師であった父の影響を受け早くから学問に親しんでいたといいます。

Q3 ストア派の哲学についても教えて！

A 確固たる自己の確立を目指す「禁欲主義」を唱えました。

ゼノンは、パトス(「情念」つまり本能的な反応)に動揺しない心(不動心)を得ることで「心の平穏」に達することができると考えました。この心の平穏は、快楽を得たいという欲望を理性が抑制することで得られるものであると説いています。

ゼノンの像。「ストア」という名前は、ゼノンがストア・ポイキレ(彩色柱廊)で哲学を講じたことに由来します。

★COLUMN4★

ヘレニズム期の美術品

サモトラケのニケ、ミロのヴィーナス、ラオコーン像など、現代でもよく知られる美術品が制作されたのがヘレニズム時代です。この時代は、ギリシア彫刻における黄金期ともいわれます。この時代の彫刻の特徴は、構図に躍動感があって肉体的な理想美が施されていることです。四方どの角度から見ても動きさが感じられて美しいという共通の作風は、これまでの古代ギリシア彫刻にはなかった特徴でした。理想的な肉体を追い求め表現したヘレニズム美術の要素は、その後のローマ美術にも受け継がれました。

大理石で作られた、ギリシア神話に登場する勝利の女神ニケ。両腕や頭が欠損しているものの、古代ギリシア彫刻の最高傑作のひとつと評価されています。

Q キリスト教は どのようにして生まれたの？

A ヘレニズム時代に確立した「ユダヤ教」が起源となっています。

今、世界で最も多くの信者を擁するキリスト教は『旧約聖書』と『新約聖書』を教典としていますが、旧約聖書はユダヤ教の聖典でもあります。ユダヤ教は、ヘレニズムの時代に旧約聖書（タナハ）が完成したことで確立しました。そして、ユダヤ教の改革運動をする「イエス」が「神の愛」を説き、その教えを引き継いだ彼の信者たちによってキリスト教が誕生しました。

『山上の垂訓』（カール・ハインリッヒ・ブロッホ）。山上の垂訓（説教）はイエスが山上で弟子や群衆に語った教えのこと。パレスチナのガリラヤが、イエスが布教活動を始めた地だといわれています。

「天の御国からきた神の子である」とイエスは自らを伝えました。

ローマ帝国の支配下にあったユダヤ王国に生まれたイエスは、
ユダヤ教が抱える問題を改革すべく独自の宣教活動を始め、
「十二使徒」を始めとする信者を急激に増やしていきました。
しかし、こうしたイエスの活動はユダヤ教の権威を傷つけ、
ユダヤ人の神を冒涜するものとみなされてしまいます。

Q1 キリスト教はどうやって広まったの?

A まずパウロらによってローマ帝国全域に広がりました。

イエスの死後、その布教活動は弟子や信者によってエルサレムを中心に引き継がれていましたが、パウロがローマ帝国各地で布教を行ったことで、イエスの教えはエルサレムから遠く離れた地域にも広がっていきます。やがて、キリスト教の教えについて考察する営みが始まり、ギリシア哲学などの思考を用いてキリスト教の思想を説明する「教父哲学」が成立しました。

『磔』(アンニーバレ・カラッチ)。新約聖書によると、ゴルゴタの丘はエルサレムにありました。イエスはここで磔にされた後、3日後に復活したといわれます。

『最後の晩餐』(レオナルド・ダ・ヴィンチ)。イエスは十二使徒(11人の弟子とユダ)を招いて「最後の晩餐」を開いた後、そのユダの裏切りによって捕らえられ、ゴルゴタの丘で十字架にかけられ処刑されてしまいました。しかし、イエスの復活を信じた者たちが中心となって、彼こそ救世主=キリストであると信じる教義である「キリスト教」が生まれたのです。

Q2 教父哲学を代表するのはだれ？

A 教父アウグスティヌスがあげられるでしょう。

4〜5世紀の西ローマ帝国時代に活躍したアウグスティヌスは、ギリシア哲学を取り入れながらキリスト教の教義に関する理論を展開しました。彼は神の恩寵を媒介する重要な役割を果たすとして「教会」の権威を確立し、中世以降のキリスト教に大きな影響を与えました。

『アウグスティヌスの肖像画』（フィリップ・ド・シャンパーニュ）。アウグスティヌスの著書『神の国』『告白録』などはキリスト教神学の基礎とされ、スコラ哲学を代表するトマス・アクィナスなどにも影響を及ぼしています。

Q3 キリスト教と哲学はうまく折り合いがついたの？

A 「スコラ哲学」の成立により折り合いがつきました。

スコラ哲学とは、教会や修道院に付属する学校で研究された中世ヨーロッパの哲学で、ギリシア哲学の概念や思想体系を含んだものです。スコラ哲学は、キリスト教と、合理的精神を重んじるギリシア哲学を調和させるものとなりました。ただし、この調和はあくまで一時的なものにすぎず、対立の解決は近代哲学において改めて取り組まれることになります。

『トマス・アクィナス像』（カルロ・クリヴェッリ）。聖トマス・アクィナスは主著『神学大全』で知られるスコラ哲学の代表的神学者。彼は、アリストテレス哲学とアウグスティヌス神学を調和させようと試み、形而上学、道徳哲学、宗教の研究に理性と信仰の両方を採用しました。

Q 哲学はその後どう発展していくの？

イタリアのフィレンツェにある「サンタ・マリア・デル・フィオーレ大聖堂」。1296 年から 140 年以上をかけて建設され、ルネサンスが花開く 15 世紀に完成しました。ドゥオーモ（大聖堂）、サン・ジョヴァンニ洗礼堂、ジョットの鐘楼の 3 つの建築物で構成され、巨大なドームが特徴の大聖堂は、イタリアにおける晩期ゴシック建築および初期ルネサンス建築を代表するものとなっています。

A ルネサンスへと繋がっていきます。

ルネサンスは、古代ギリシア・ローマの文化や古典を復興しようとする文化運動のことです。14 世紀頃のイタリアで始まり、15 世紀にはヨーロッパ全土に影響を与える最盛期を迎え、その後 16 世紀まで続きました。

ルネサンスとは、「再生」「復興」を意味します。

ルネサンスでは、キリスト教によって規定されていたそれまでの世界観から脱却し、
古代ローマ・ギリシア文化を模範とした「新しい文化」の創造が目指されました。
「自由な人間性の復活」という新しい価値観を掲げ、
絵画や彫刻、建築などの芸術分野を中心に文化的な発展が起こりました。

Q1 ルネサンスについてもっと教えて！

A 科学の進歩によって文化水準が向上し、様々な分野で大きな発展を見せました。

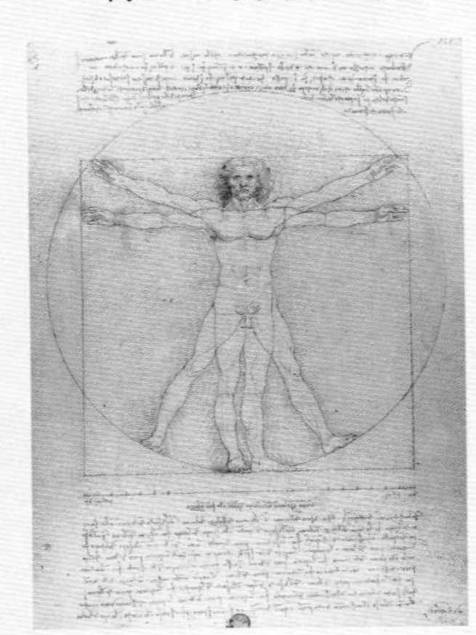

ルネサンスは“発明の時代”ともいわれ、様々な発明や科学技術が生まれました。特に絵画や建築といった芸術分野では目覚ましい発展が起こり、レオナルド・ダ・ヴィンチやミケランジェロなど多方面で活躍した人物も現れます。また、東方貿易の発展にともない古代ギリシア・ローマ文化の学問がヨーロッパに流入したことで、数学、幾何学、自然科学、医学など多くの学問が飛躍的に進歩したのもこの時代です。

『ウィトルウィウス的人体図』（レオナルド・ダ・ヴィンチ）。古代ローマ時代の建築家ウィトルウィウスの『建築について』の記述をもとに、レオナルド・ダ・ヴィンチが1490年頃に描いたとされるドローイング。この構図は理想的な人体のプロポーションを表現しており、「プロポーションの法則」あるいは「人体の調和」と呼ばれます。

『ヴィーナスの誕生』（ボッティチェリ）。ローマ神話のヴィーナスが海から誕生した姿を描いたもの。ルネサンス文化が発展したのはフィレンツェやミラノなどイタリアの中心都市。特にフィレンツェでは、メディチ家が芸術家たちを支援してルネサンスの黄金期を築きました。メディチ家とは銀行家や政治家として名声があり、大富豪として知られた一族です。レオナルド・ダ・ヴィンチやボッティチェリなどルネサンスを代表する芸術家たちも、メディチ家をパトロンとして大成しました。

Q2 ルネサンス期の重要な哲学者はだれ？

A 代表的な人物にマキャベリがいます。

マキャベリは『君主論』などを書いた政治思想家です。優れた国家統治には強力な権力、法律、確固とした軍事力が必要であると説く彼の思想は、近代の政治思想における「現実主義（リアリズム）」や「共和主義思想」の源流となりました。

『ニッコロ・マキャヴェッリの肖像画』（サンティ・ディ・ティート）。15～16世紀のイタリアを背景に、君主の現実主義的な統治を主張したマキャベリ（1469～1527年）の政治思想は「マキャベリズム」と称されるようになります。これは、どんな手段や非道徳的な行為であっても、国家の利益を増進させるのであれば正当化されるという考え方のことです。

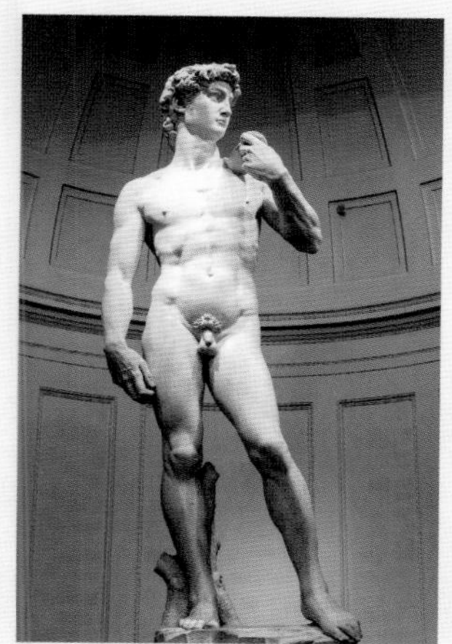

Q3 ルネサンスの後、哲学はどう変わったの？

A 近代哲学の幕が上がります。

ルネサンスを経て数学や自然科学が発展するにつれて、それまでのキリスト教の教えに対し疑問が投げかけられるようになりました。その過程で、宗教の教えによらず、ただ人間の理性によって善や正しさのあり方を解明できるという見方が生まれます。この理念をもとに、近代哲学が大きく展開していくことになります。

「ダビデ像」（ミケランジェロ・ブオナローティ）。ミケランジェロは盛期ルネサンス時代のイタリア・フィレンツェに生まれ、ローマで活躍した、ルネサンスを象徴する芸術家のひとりです。彫刻家としてだけでなく、建築、絵画、詩と、多岐にわたる分野で才能を発揮しました。

★COLUMN5★

ルネサンス美術の特徴

ルネサンス期の絵画には、中世には見られなかった「写実性」が現れるようになります。これは“発明の時代”ならではの、各分野の技術的な革新があったからといえるでしょう。また、その写実性を顕著に再現しているのが絵画における「遠近法」の誕生です。遠近法とは、三次元での物体の距離を絵画で表す技法のこと。人物や建物、背景などを「見たまま」に描くようになった様式は「自然主義」といわれます。遠近法の発見と発展はルネサンス美術最大の功績でしょう。

『モナ・リザ』（レオナルド・ダ・ヴィンチ）。ルネサンス期を代表する、世界で最もよく知られた絵画のひとつ。背景をわざとぼやかして、色調の変化で距離を表す「空気遠近法」が使われています。

近代哲学

16世紀以降、ルネサンスから宗教戦争を経てヨーロッパは中世から近代へと移行していきます。近代哲学では、「神」中心の世界観から「人間」中心の世界観へと変化し、人間の理性で正しさのあり方を明らかにできるという考え方が広まりました。

『リュッツェンの戦い』(ヨハン・ヴィルヘルム・カール・ウォールボム)。哲学者のデカルトは三十年戦争の勃発した1618年にオランダに渡り、近代哲学を牽引していきました。

Q 近代哲学の哲学者たちは何を考えたの？

『ダナエ』（レンブラント・ファン・レイン）。
美術においても個人主義や合理主義の理想が採り入れられ、王朝や宗教的な国家を象徴する権威的な近代以前の絵画に対し、個人の感情や自由を表現するような絵画が制作されるようになりました。

A　認識と社会の普遍的な原理についてです。

ルネサンスでは、自然科学の発展とともに、人間の理性によって物事を合理的に捉えられるとする見方が成立しました。これを受けて近代哲学は、普遍的な認識の根拠を考える「認識論」と、社会の普遍的な正当性について考える「社会哲学」の２つの方向性で展開していきます。

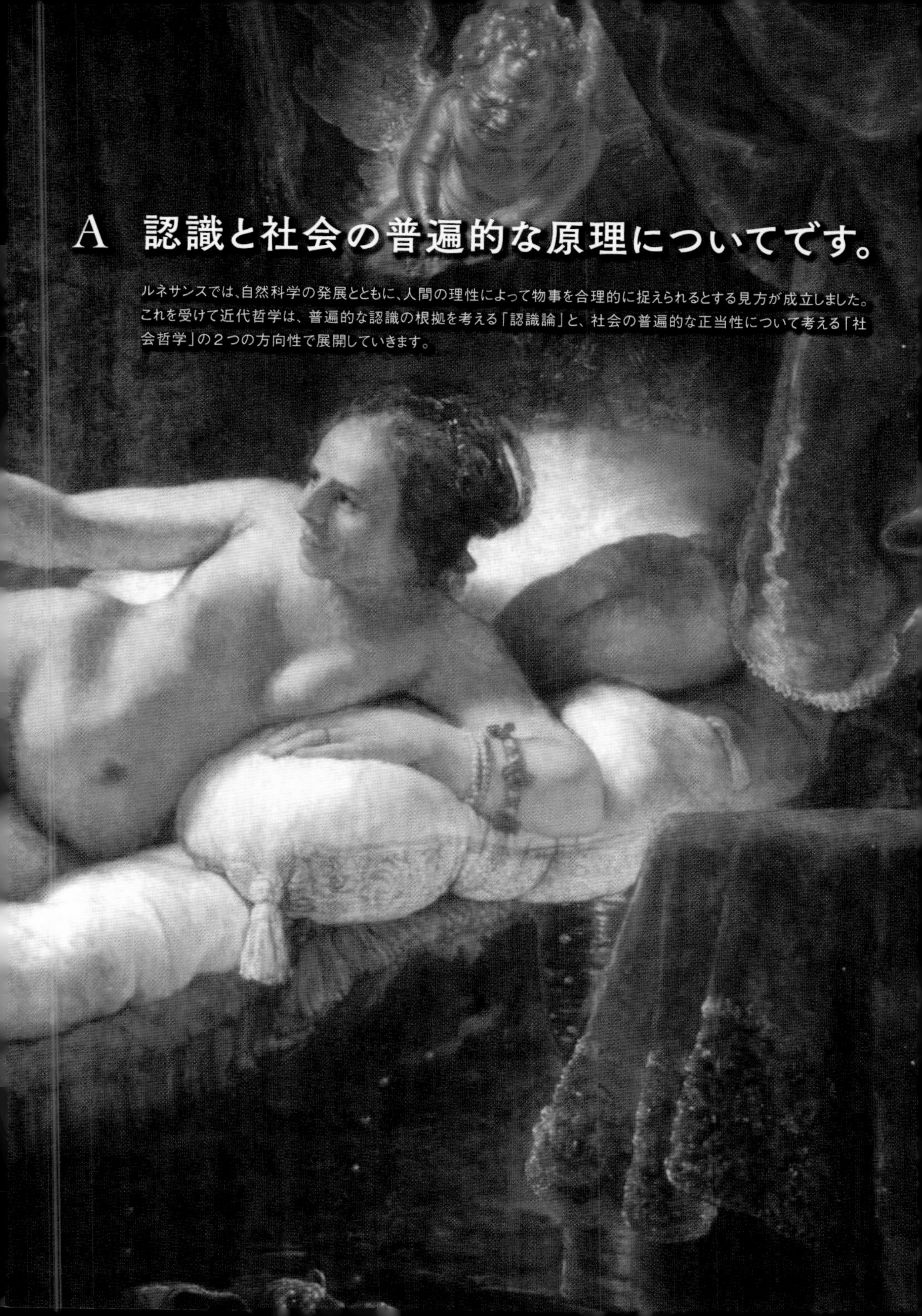

デカルトは理性に基づく「普遍的な認識」を求めました。

フランス生まれの哲学者デカルトは、人間にはみな生まれながらに理性が備わっており、それを正しく用いれば、だれもが納得できる普遍的な認識を導くことができると考えました。

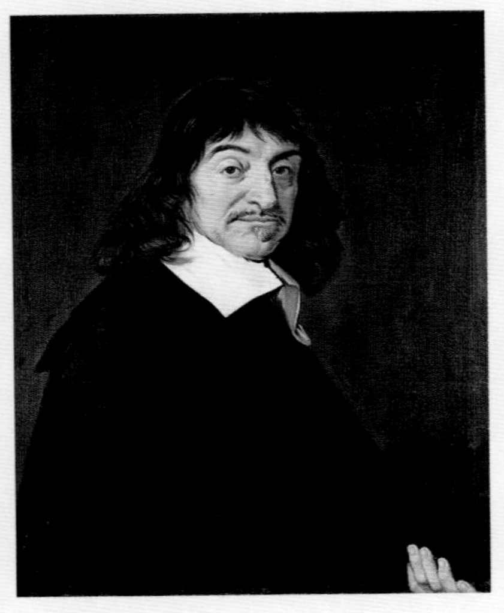

ルネ・デカルト（1596 ～ 1650 年）は、フランス・トゥレーヌ州に生まれ、若き日のほとんどをイエズス会というカトリックの修道会が運営するラ・フレーシュ学院で過ごしました。代表作に『方法序説』『哲学の原理』『省察』などがあります。

Q1 近代哲学はだれから始まったの？

A デカルトが「近代哲学の祖」といわれています。

哲学者であるとともに、数学者としても数々の功績を残したデカルトは、数学の持つ合理的な思考の論理を哲学に取り入れることで、だれでも納得できる普遍的な知識を導き出せるとしました。その出発点として、デカルトは「方法的懐疑」という考え方を定めます。

すべてのものをあえて疑うことで確実な真理を導き出す

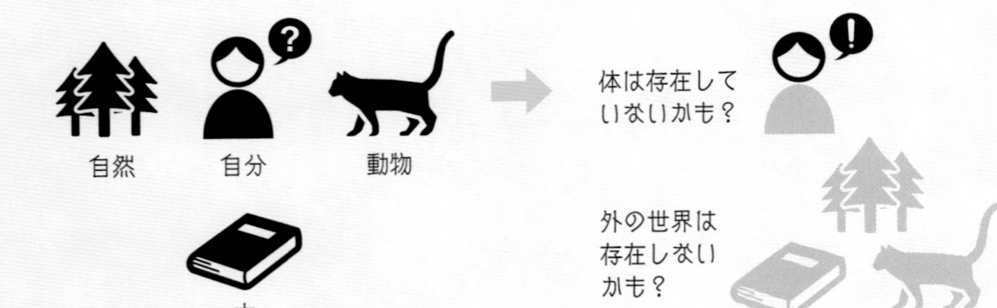

自然
自分
動物
本
体は存在していないかも？
外の世界は存在しないかも？
すべてを疑ってみる
でも、考えている「私」は確実に存在する

Q2 方法的懐疑って何？

A あらゆる概念や事柄に疑いをかける方法のことです。

デカルトは、世の中に存在するすべてのものをあえて疑うことで確実な真理を導き出そうと試みました。たとえ一般的に真実として認識されているものであっても、少しでも疑いの余地があるものは徹底的に疑うことで、だれもが納得せざるを得ない確実なものが残ると考えたのです。

『デカルトと学者に囲まれるスウェーデン女王クリスティーナ』（ピエール・ルイス・デュメニル）。スウェーデン女王のクリスティーナ（中央）と、彼女のために講義をするデカルト（右）。

DISCOURS
DE LA METHODE
Pour bien conduire sa raison, & chercher
la verité dans les sciences.
PLUS
LA DIOPTRIQVE.
LES METEORES.
ET
LA GEOMETRIE.
Qui sont des essais de cete METHODE.

A LEYDE
De l'Imprimerie de IAN MAIRE.
cIɔ Iɔ c XXXVII.
Auec Priuilege.

1637年に発表されたルネ・デカルトの著書『方法序説』。元来は、「屈折光学」「気象学」「幾何学」の3つの科学論文集を収めた500ページを超える大著だったといいます。

Q3 デカルトはなぜ方法的懐疑を行ったの？

A 普遍的な認識の可能性を基礎づけるためです。

デカルトは方法的懐疑により、疑いを行っているこの「私」の存在は疑えないことを洞察します。ここからデカルトは「我思う、ゆえに我あり（コギト・エルゴ・スム）」という考えを導き、これを学問全体の出発点に定めました。

★COLUMN6★

心身二元論

方法的懐疑によってあえてあらゆるものを疑ってみたデカルトは、「考える我（精神）」と「考えられる対象（物体）」という2つのものが相容れずに存在しているという「心身二元論」を提唱します。これは心（精神）と身体は別物であるという考え方のこと。デカルトは、肉体は心の入れ物にすぎず、身体よりも精神の方が優れていると主張しました。

Q 近代になり、ヨーロッパの社会はどんな風に変わったの？

A 16世紀に入ると絶対王政の時代が到来しました。

中世の封建社会に決別したルネサンスから誕生した絶対王政。しかし、フランスのブルボン朝やイングランドのテューダー朝に代表される絶対的な国王支配力の下で、次第に実力を蓄えてきたのが市民層でした。彼らが不平等な社会の仕組みに反発するようになる中、各国で起こった「市民革命」によって社会の主役は市民階級に移っていきます。

『民衆を導く自由の女神』（ウジェーヌ・ドラクロワ）。1830 年に起きたフランス７月革命を描いた作品です。「封建社会」のもとで大きな権力を持つ貴族や教会が農民を支配する中世ヨーロッパの体制から、その第一人者である国王に権力が集中する絶対王政を経て、社会の主役は市民層へ。フランスでは数度の市民革命を経て７月革命で市民社会の新体制が確立しました。

ホッブズは王権神授説を否定し、国家の正当性の根拠を論じました。

ホッブズは、混乱に包まれていた市民革命の時代に著書『リヴァイアサン』を発表し、
王権神授説に代えて「社会契約説」を提唱しました。
彼の社会契約説は、以後の政治思想に対して大きな影響を与えます。

Q1 社会契約説ってどういう思想?

A 「個人が相互に対等な立場で契約(約束)を結ぶことによって国家が創られる」とする思想です。

王権神授説では、キリスト教の教義のもと、国王の統治権力は神から直接与えられるとされていました。社会契約説はこれを否定し、権力の基礎は市民同士の合意にあり、合意をもとに統治権力を定めることが国家の正当なあり方だと説きました。

『リヴァイアサン』(トマス・ホッブズ)。リヴァイアサンとは『旧約聖書』に登場する海の怪物レヴィアタンのこと。ホッブズは「国家」のことをこの怪物にたとえ、国家は社会契約によって成立したものとして国家主権への絶対的服従を説きました。

Q2 『リヴァイアサン』ではどんな思想が説かれたの?

A 各人相互の同意をもとに国家を設立することで、人間が生まれながらに持つ「自由かつ平等な権利(自然権)」を保証できるとしました。

ホッブズは、「自然状態(政治・権力が存在していない状態)」では、人々の間にはお互いに不信や疑心暗鬼が生まれ、自分の生存と利益のために、暴力や戦争状態(「万人の万人に対する闘争」)に陥ってしまうと考えました。このような状態を解決するために、人間は理性でだれもが納得できる平和条項(自然法)を導こうとするとホッブズはいいます。

【自然状態】

一切の権力が存在せず、個々人が何にもとらわれず行動できる状態。

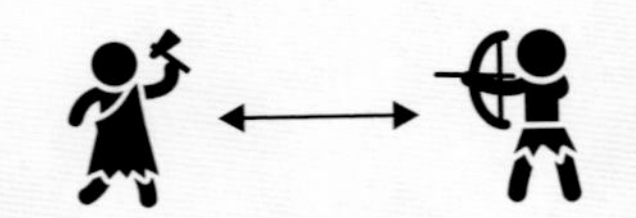

ホッブズによると、自然状態において、人間はお互いに疑心暗鬼が生まれ、暴力や戦争状態になる。

「万人の万人に対する闘争」

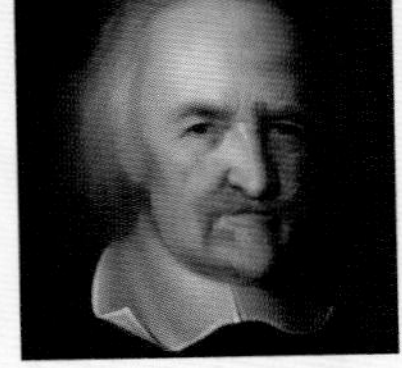

トマス・ホッブズ(1588～1679年)はイングランドの哲学者。イングランド王チャールズ2世の家庭教師でもありました。

ホッブズの自然法は何を目指しているの？

A　戦争を終わらせるための原理を示すことです。

ホッブズはふたつの自然法を示しました。ひとつ目は、各人は平和を目指すように努力するべきであり、これが不可能な場合には戦争による援助と利益を求めても無意味であるというものです。ふたつ目は、平和のために、万物に対する権利を放棄すべきであるというものです。

『イギリス清教徒革命 ネイズビーの戦い後の風景(1645年)』(ジョン・ギルバート)。17世紀にイングランド・スコットランド・アイルランドで、絶対王政を打倒するための清教徒革命が起こりました。

★COLUMN7★

公共権力（コモン・パワー）

ホッブズは「公共権力（コモン・パワー）」を設立することで、自然法に効力が与えられると考えました。公共権力とは、自分たちの意志を多数決によってひとつの意志（総意）とし、これによって選ばれたひとりの統治者や議会に各自が持つ自然権（権利）を譲渡するというもの。そして、権利を譲渡された主体は、主権者として権力を行使しなければならない、とホッブズは考えました。

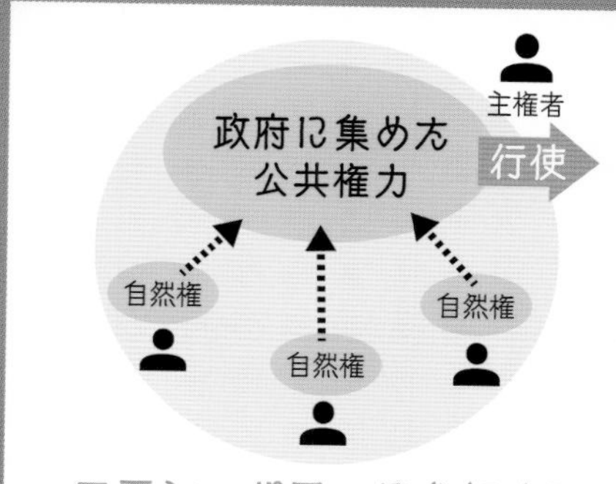

Q ホッブズの社会契約説が近代社会の主流になっていくの？

A イギリスの哲学者であるジョン・ロックは別の考え方を提唱しました。

ロックもホッブズと同様に、自然状態（国家・政府による支配が存在しない人間のあり方）に基づき統治の正当性について論じました。ただし、ロックの場合は、“神が人間を創造した”というキリスト教の教えを前提として自らの議論を展開していきます。

『オランダのゼーラント州に到着したウィリアム３世』（ルドルフ・バクハイゼン）。ロックは、名誉革命が起こった翌1689年に亡命先のオランダからイギリスに戻り、以後盛んに執筆活動を行いました。

市民社会の正当なあり方について ロックは論じました。

ロックが生きた時代のイギリスでは、1688〜1689年の「名誉革命」によって、君主(国王)が憲法に従って政治を行う「立憲君主制」が誕生し、絶対王政が崩壊しました。こうした激動の時代の中で、統治は市民の合意に基づくべきと主張したのです。

Q1 ホッブズとロックの社会契約説の違いは何?

ジョン・ロック(1632〜1704年)。17世紀後半、名誉革命期に活動したロックは、王権神授説の批判として『統治二論』を書き、ホッブズとは異なる社会契約説を展開しました。

A ロックは自然状態を「神の意志のもとで万人が平等な状態」であるとしています。

ロックは自然状態における人間は理性的であり、自由・平等・平和な状態にあると考えました。この状態は、神の意志、すなわち「自然法」によって成り立つとし、創造主である神が人間に理性を与えた以上、人間は理性的に自然法に従わなければいけないといいます。

Q2 ロックが規定した「自然法」って?

A すべての人間は「所有権」を持っており、いかなる人であっても、他人の生命、健康、自由、財産を傷つけてはならないというものです。

平等かつ独立した自然状態において、各人はもともと身体を所有し、同時に自分の生命や財産に対する「所有権」を持っているとロックは主張します。さらに、所有権を守るための権利としての「自己保存権」と、これを侵害した者を処罰することができる「処罰権」も持っているとしました。

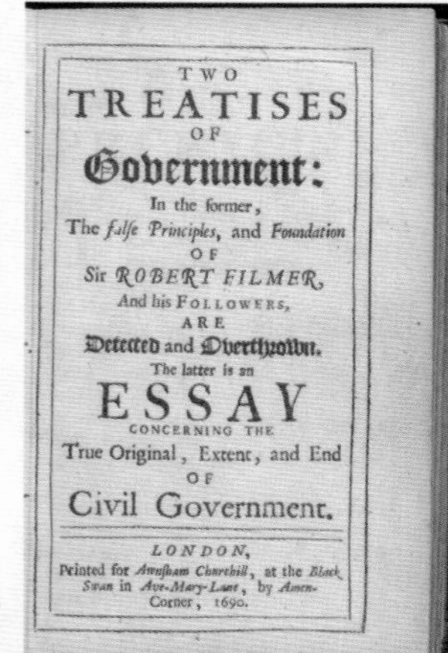

TWO
TREATISES
OF
Government:
In the former,
The false Principles, and Foundation
OF
Sir ROBERT FILMER,
And his FOLLOWERS,
ARE
Detected and Overthrown.
The latter is an
ESSAY
CONCERNING THE
True Original, Extent, and End
OF
Civil Government.

LONDON,
Printed for Awnsham Churchill, at the Black Swan in Ave-Mary-Lane, by Amen-Corner, 1690.

『統治二論』の初版本。ロックの代表作である本書は、「わが国の偉大な再興者である現王ウィリアム(3世)の玉座を確立し、王の正統性を人民の同意のうちに基礎づけること」を目的として、1690年に刊行されました。

Q3 不正をしたり他人の所有物を強引に奪ったりする人が現れたらどうするの？

A 各自が持つ「処罰権」を事前に公的機関に託しておき、公的機関に処罰させる必要があるといいます。

ロックは、自然状態において所有権は不安定であり、常に侵犯の危険にさらされていると考えます。そこで、「法律・裁判官・執行権力」の３つの制度を提案し、各人が持つ「処罰権」をこれらの公的な機関に信託することで所有権を保護できると説きました。

1652年、20歳のとき、オックスフォード大学クライスト・チャーチに進学したロックは、ルネ・デカルトの著書に触れたことで哲学に関心を持つようになりました。

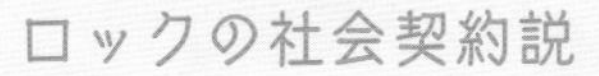

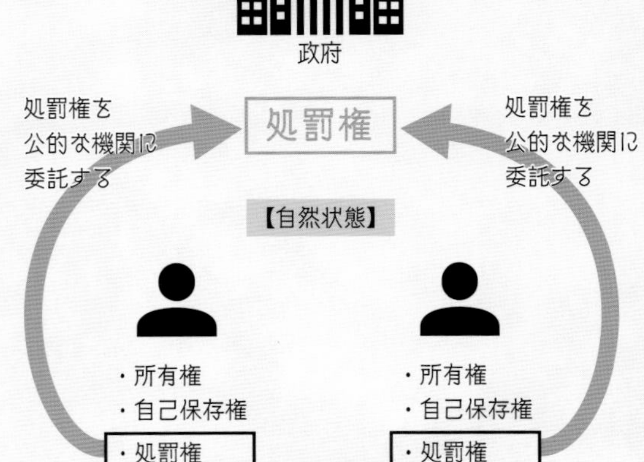

ロックは立法権・司法権・行政権の三権分立の基盤となる構図を示し、この３つのうち立法権が最も重要だとしました。

Q4 政府が違反行為をしたらどうなるの？

A 市民は、政府に対して「抵抗権」を主張できるとロックは論じます。

ロックは、政府は所有権を維持する目的で成立されるため、それが守られなければ、市民は服従を拒むことができる「抵抗権」を持っているとしました。さらに政府による侵害が続く場合は、市民自身が改めて政府を定める「革命権」を行使できると説きます。

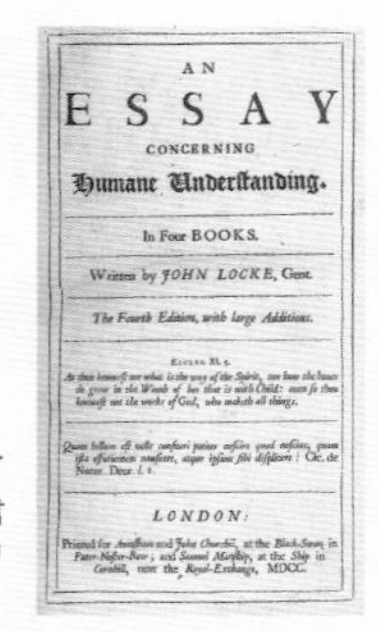
AN
ESSAY
CONCERNING
Humane Understanding.
In Four BOOKS.
Written by JOHN LOCKE, Gent.
The Fourth Edition, with large Additions.
LONDON:

『人間知性論』（1690年）。ロックが20年もの歳月をかけて書き上げた本書は、「生得観念について」「観念について」「言語について」「知識について」の全4巻からなり、近代イギリス経験論の確立に大きく貢献しました。

Q5 その後、ロックの思想はどのような影響を及ぼすの？

A 現代に繋がる民主主義の発展に大きく貢献しました。

ロックの社会契約説は、後に紹介するルソーや、三権分立を説いたモンテスキューなどに影響を与えただけでなく、名誉革命の正当性を理論化したものとして、アメリカ独立宣言やフランス人権宣言の理念にも多大な影響を及ぼしました。

シャルルル・ド・モンテスキュー（1689～1755年）。18世紀フランスの哲学者であるモンテスキューは、国王が絶対的な権力を握っていた時代に「三権分立」という概念を説きました。これは、国家の権力をひとつに集中させず「立法権・司法権・行政権」の３つへと分散させるという考えで、それぞれが互いに監視・牽制し合うことで、権力の濫用が防止されるとされました。

モンテスキューの三権分立論

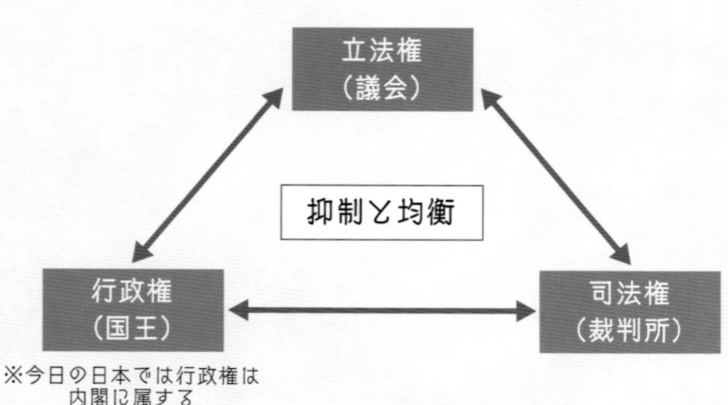

『アメリカ独立宣言』（ジョン・トランブル）。フィラデルフィアで開催された第２回大陸会議で「アメリカ独立宣言」草稿を提出する五人委員会のメンバーが描かれています。アメリカ革命期における五人委員会とは、アメリカ独立宣言の草案を起草し、第２回大陸会議に提出した、５人のメンバーからなる委員会のこと。机の前に立っているのは、右からベンジャミン・フランクリン、トマス・ジェファーソン、２人おいて左端がジョン・アダムズです。

★COLUMN8★

アメリカ独立宣言

1776年7月4日、大陸会議によって採択された北米13の植民地のイギリスからの独立を宣言した文書が『アメリカ独立宣言』です。「生命、自由、幸福の追求」の権利を掲げたこの独立宣言には次のような一文があります。

――政府が（統治される者の）合意に反するようになったときには、人民は政府を改造または廃止し、新たな政府を樹立し、人民の安全と幸福をもたらす可能性が最も高いと思われる原理をその基盤とし、人民の安全と幸福をもたらす可能性が最も高いと思われる形の権力を組織する権利を有する

この一文からは、ロックが説いた「抵抗権・革命権」から強く影響を受けていることがわかります。

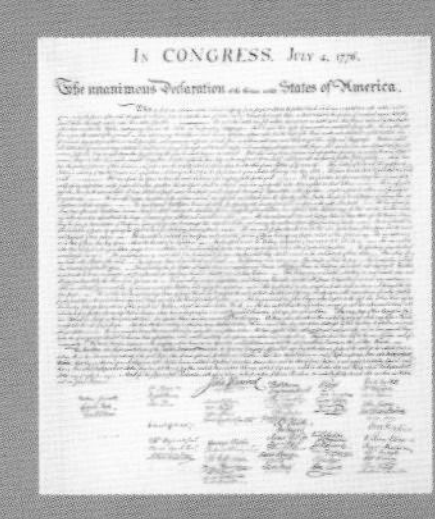

トーマス・ジェファーソンらが起草した、イギリスからの正式な独立を宣言する文書の複写。

『独立宣言の執筆、1776年』（ジーン・レオン・ジェローム・フェリス）。左からフランクリン、アダムズ、ジェファーソン。

Q ホッブズやロックの他に社会契約説を説いた人物はいる?

『ジョフラン夫人のサロン』（シャルル・ガブリエル・ルモニエ）。17 世紀後半から 18 世紀にかけて、フランスを中心とするヨーロッパでは「啓蒙思想」が主流となっていきます。理性による進歩が広く信じられたこの時代、多くの啓蒙思想家が「サロン」を舞台に活躍しました。この絵は、貴族のジョフラン夫人のサロンに集まったとされる啓蒙思想家たちを描いたもので、このサロンにはモンテスキューやルソーといった多くの思想家だけでなく、文学者、画家、音楽家、彫刻家らも集っていました。

A フランスの哲学者、ルソーも代表的なひとりです。

ジャン＝ジャック・ルソーも彼らと同様、社会契約説を論じ、民主主義の基礎となる理論を提唱しました。彼はフランス革命直前の時代に登場し、哲学、政治理論の他、文学や教育学などの様々な分野で重要な業績を残しました。政治理論に関する代表作には『社会契約論』などがあります。

「憐れみの情（憐憫）」が人間には備わっていると考えます。

ルソーは、本来人間は困っている人を憐れむ感情を持っているため、自然状態は争いのない平和な状態にあると述べ、ホッブズの考えを批判しました。こうした自然状態から社会が形成されていく中で「不平等」が生じ、人々の間に争いがもたらされるといいます。

Q1 社会には不平等がどうして生じるの？

A 人間が知性を発揮することにより、不平等が生じるようになったとルソーは分析します。

ルソーは、人々が共同生活を営むようになり知性が発達していくことで、自他を比較するようになり優劣感情が生まれると考えました。そして、それぞれが労働によって手に入れた家や土地などの「私有財産」を持つようになると、その量や質の差から強者・弱者の関係性が生まれてくるといいます。

ジャン＝ジャック・ルソー（1712～1778年）。ジュネーヴ共和国（現在のスイス西部）に生まれたルソーは、主にフランスで活躍した哲学者。代表的な著書には『社会契約論』『人間不平等起源論』『エミール』などがあります。

Q2 不平等が生まれると社会はどうなるの？

A 社会は無秩序な状態に陥るとルソーはいいます。

ルソーは、権力を持った強者は法律を自分たちの都合のいいように変えたり、強引に弱者の所有物を略奪・横領したりするようになると考えました。こうして貧富の格差が拡大すると、やがて弱者は反乱を起こし、社会全体で争いが生じると主張しました。

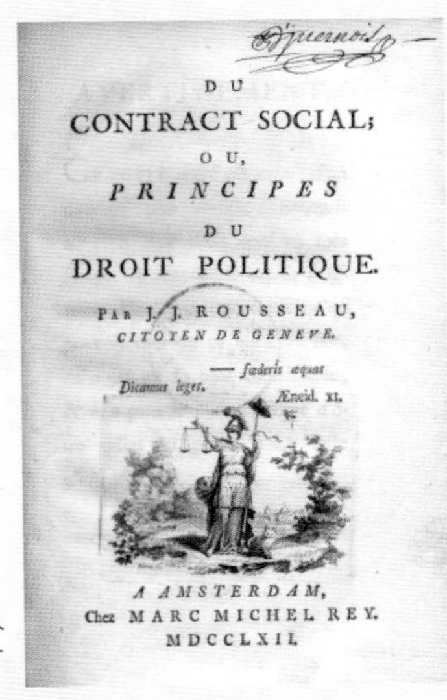

DU
CONTRACT SOCIAL;
OU,
PRINCIPES
DU
DROIT POLITIQUE.
PAR J. J. ROUSSEAU,
CITOYEN DE GENEVE.
— fœderis æquat
Dicamus leges. Æneid. xI.
A AMSTERDAM,
Chez MARC MICHEL REY.
MDCCLXII.

1762年に公刊された『社会契約論』は、1755年に発表した『人間不平等起源論』を発展させたもので、「一般意志」というルソーの概念を世に送り出した書として広く知られています。

Q3 自由で平等な社会を実現するために、ルソーはどのような提案をしたの？

A 合意に基づいて、「一般意志」を原理とした国家（共和国）を打ち立てる必要があると説きました。

一般意志とは、社会全体の普遍的な利益を目指す政治的意思のことであり、近代社会の正当性の基準として示された原理です。ルソーは、一般意志に基づく国家においてのみ、万人の自由と平等を両立させることが可能になると考えました。

直接民主制

政治

間接民主制

政治

代表者

投票

ルソーは、市民の「一般意志」を表明する制度である「直接民主制」を支持しました。これは選挙で選ばれた代表者が政治を行う「間接民主制」とは異なり、全ての市民が直接政治に参加するという政治形態のことです。これにより、だれにとっても正当といえる国家を実現できるとルソーは考えたのです。

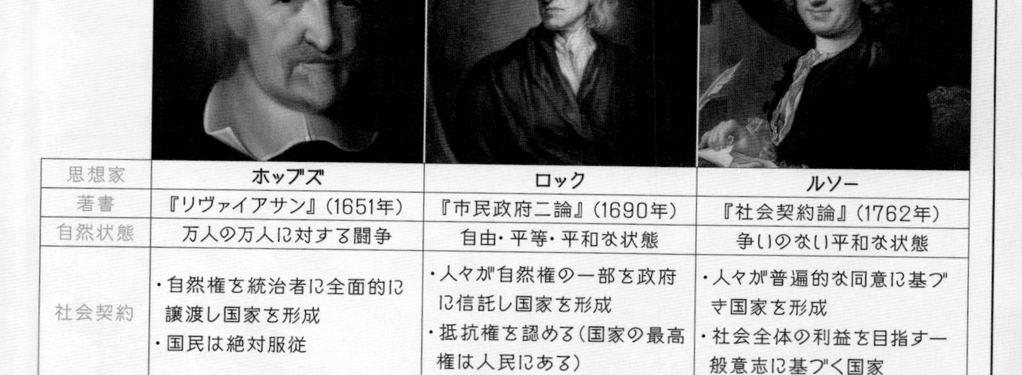

思想家	ホッブズ	ロック	ルソー
著書	『リヴァイアサン』（1651年）	『市民政府二論』（1690年）	『社会契約論』（1762年）
自然状態	万人の万人に対する闘争	自由・平等・平和な状態	争いのない平和な状態
社会契約	・自然権を統治者に全面的に譲渡し国家を形成 ・国民は絶対服従	・人々が自然権の一部を政府に信託し国家を形成 ・抵抗権を認める（国家の最高権は人民にある）	・人々が普遍的な同意に基づき国家を形成 ・社会全体の利益を目指す一般意志に基づく国家
影響	絶対王政	アメリカ独立宣言	フランス革命

近代哲学2

ヨーロッパでは、デカルトが展開した認識論が近代哲学の柱となり、様々な哲学者によって議論が行われていきます。そして、フランス、オランダ、ドイツを中心とした「合理論」と、イギリスにおける「経験論」の対立に発展していきました。

トラファルガーの海戦（ジョゼフ・マロード・ウィリアム・ターナー）。1805年、イギリスはこの海戦で勝利し、皇帝ナポレオン1世の英本土上陸を防ぎました。

代表的な哲学者として、「合理論」にはデカルト、スピノザ（1632～1677年）、ライプニッツ（1646～1662年）ら、「経験論」にはフランシス＝ベーコン（1561～1626年）、ロック、ヒューム（1711～1776年）などがいます。

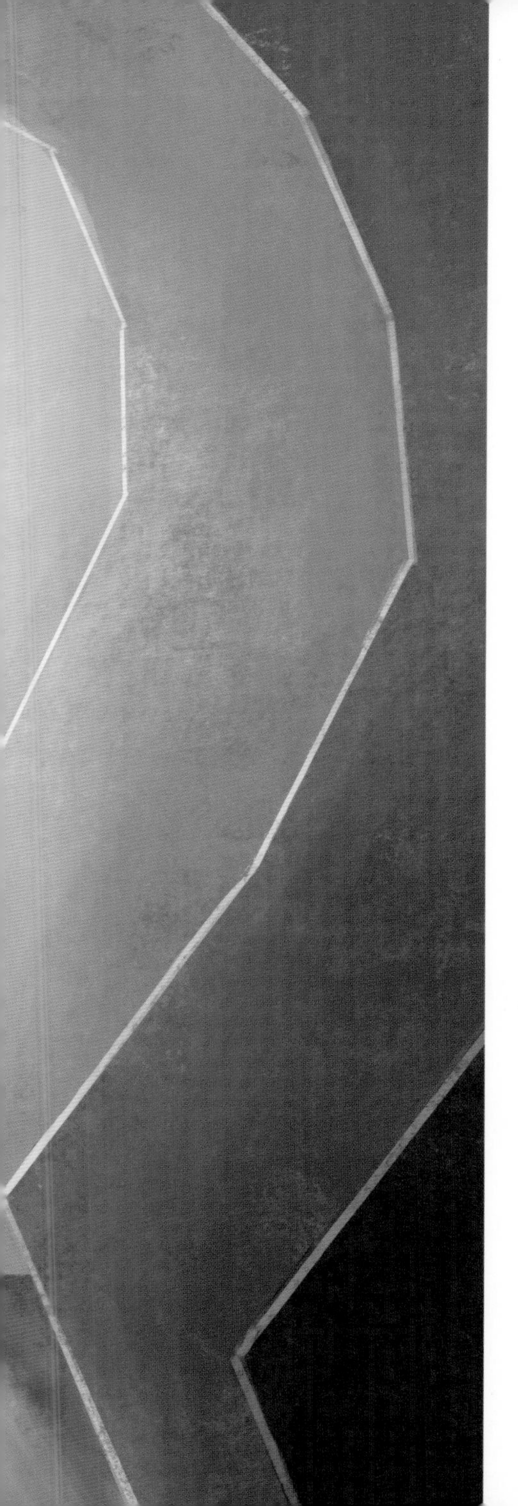

Q
「合理論」と「経験論」って何？

A それぞれ、認識の源泉はどこにあるのかを考える立場のことです。

「合理論」では、人間には生まれつき合理的な認識の能力（理性）が備わっており、これを用いることで物事を正しく認識できるとされます。一方の「経験論」では、人間は経験（知覚）によって初めて物事を認識するのであって、元々その能力が備わっているのではないと考えられました。

対立する2つの思想の調停をカントは試みました。

18世紀、イマヌエル・カントは合理論と経験論の対立を乗り越えるべく、「超越論的観念論」という立場から、客観的認識の可能性の条件を探求しました。

Q1 合理論と経験論の対立をカントはどうやって乗り越えたの？

A 人間の外側の現実世界ではなく、内側にある認識構造に着目することによってです。

合理論と経験論のそれぞれに問題点を見出したカントは、人間の認識構造それ自体に着目します。そして、人間には生まれながらに共通の認識能力が備わっており、私たちはそれを用いて認識を作り出していると論じました。

イマヌエル・カント（1724～1804年）。ドイツ観念論哲学の祖であるカントはプロイセンの中心都市ケーニヒスベルク（現ロシア領カリーニングラード）に生まれ、生涯のほとんどをその地で過ごしました。大学入学後、当時ニュートンの活躍で発展していた「自然学」を専攻していたカントが哲学の道に足を踏み入れたのは、1755年、31歳のときでした。

Q2 どうすればみんなが納得できる普遍的な認識を導くことができるの？

A 人間が認識できる範囲を明確にすることで可能になるとカントはいいます。

カントは、人間には生まれながらに「感性・悟性・理性」の3つの共通する認識能力が備わっていると考えました。人間はこの認識能力の枠組みで対象を捉えており、その範囲内では普遍的な認識が成立する可能性があると主張します。

『純粋理性批判（1781年）』の第一版。カントの代表的な著書に『純粋理性批判』『実践理性批判（1788年）』『判断力批判（1790年）』があります。彼の哲学は、人間の理性が及ぶ範囲の限界と、その範囲内での理性の「権限」を明確にした点で「批判哲学」と呼ばれています。

ケーニヒスベルク（現ロシアのカリーニングラード）には、カントの銅像の他、大聖堂にはカントの墓石があり、現在も多くの人々が訪れます。

★COLUMN9★

共通の認識能力

カントは共通の認識能力として、知覚データを受け取る「感性」、感性によって得たデータを組み立てて概念化する「悟性」、根本原理から全体像を構想する「理性」の３つの能力があると説きました。認識はこれらの能力によって成立しているため、その枠組みを超えた領域、つまり人間の意識経験が到達できない事柄については「アンチノミー（二律背反）」が生じ、それに関する普遍的な認識を導くことはできないといいます。

<感覚器官>

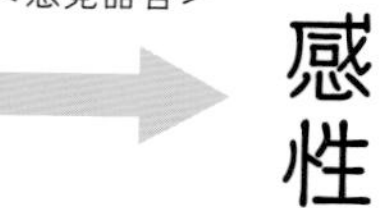

感性

①現象を知覚で認識する

赤い、丸い、果物、いい匂い など

<カテゴリー>

悟性

②直感的印象を構成する

赤くて丸くていい匂いのする果物はリンゴだ

<推論能力>

理性

③対象を理念として把握する

最も素晴らしいリンゴは全体が赤く色付いていて甘い香りがするものだ

3Q アンチノミーについて教えて！

A ある事柄に関して論理的に対立する判断が生じ、一義的で決定的な答えを与えることができない状態のことです。

アンチノミー（二律背反）とは、ある２つの対立する命題について、どちらも証明・成立できてしまうために、どちらの命題が正しいのかを決定できない状態のことをいいます。カントは『純粋理性批判』の中で４種類のアンチノミーを示しており、これらについては普遍的な認識が成立しないことを論証しました。

東プロイセンのケーニヒスベルクで生まれたカントは、この地をこよなく愛し、79 年間の生涯のほとんどを過ごしたといわれています。

★COLUMN10★

４つのアンチノミー

カントは以下の４つの問い、①世界の空間的・時間的始まりと終わり（限界）について、②世界の最小単位について、③自由について、④神について、それぞれにアンチノミーが成立すると考えました。たとえば、①世界の始まりについて考えてみると、世界が存在するからにはその原因がなければならないはずですが、最初の原因を実際にいい当てようとすると、それは無限にさかのぼっていくことになり（原因の原因、その原因……）、これをいい当てることはできません。このような「決定不可能性」が、カントがアンチノミーと呼ぶものです。

二律背反（アンチノミー）

①世界は空間的・時間的に有限である
②世界のどんな実体も単純な部分から成る
③世界には自由になる因果性もある
④世界の因果系列に絶対的必然的存在者（神）がいる

正命題（テーゼ）	反命題（アンチテーゼ）
①有限	①無限
②単純	②単純ではない
③自由	③すべては必然
④世界は必然（神はいる）	④世界は偶然（神はいない）

Q4 世界全体を正しく知ることができないなら、理性に意味なんてないのでは？

A カントは、理性にとっての本質的な課題は、自律的に善を目指すことにあるといいます。

1740 年にケーニヒスベルク大学に入学したカントは、後にこの大学の学長も務めました。上の写真はカントが学生たちに哲学を教えていたといわれている場所です。

人間の認識能力の限界を明らかにしたカントは、それまでの哲学で問われた「世界は何であるか」から「人間にとって道徳とは何か」という問題へと焦点を変えました。カントの思想は、人間が善を自らの理性で把握し、それを自分の意志で自由に目指すことができるはずだとした点で、善と自由に関するそれまでの考え方を大きく推し進めるものとなりました。

『カントと食卓の仲間たち』（エミール・ドーストリング）。左側で手紙を読んでいるのがカントです。

Q カント以降、ドイツ観念論はどうなったの？

『ドイツ帝国成立宣言』(アントン・フォン・ヴェルナー)。近代以前の社会では、実力を基礎とする支配関係が存在するだけで、人間の自由が意識されたり肯定されたりすることはありませんでした。やがて近代に入り啓蒙思想が根付いていくと、様々な価値観や思想が自覚的に、また自由に表現されるようになり、次第に人々は自らの権利を強く主張するようになります。こうして、自由で平等な社会を目指す市民革命が各地で起こり、近代の市民社会が成立しました。

A ヘーゲルによって完成されました。

18世紀後半、ドイツ観念論はフィヒテ(1762〜1864年)、シェリング(1775〜1854年)によって展開され、ヘーゲルが完成させます。ゲオルク・ヴィルヘルム・フリードリヒ・ヘーゲル(1770〜1831年)はカントの哲学を継承した哲学者で、ドイツのシュトゥットガルトに生まれました。フランス革命、ナポレオンの侵攻、ドイツ統一などの影響を大きく受けたヘーゲルは、変動の時代の中で、自由が実現されていくプロセス、すなわち「自由のゆくえ」を探求しました。代表的な著書に『精神現象学(1807年)』『論理学(1812 年)』などがあります。

哲学体系の中心に、ヘーゲルは「自由」を置きました。

ヘーゲルは、この現実世界は「絶対精神」という根本原理が自由を目掛けて自らを発展させ、実現させていく体系（システム）であるという世界像を提示しました。

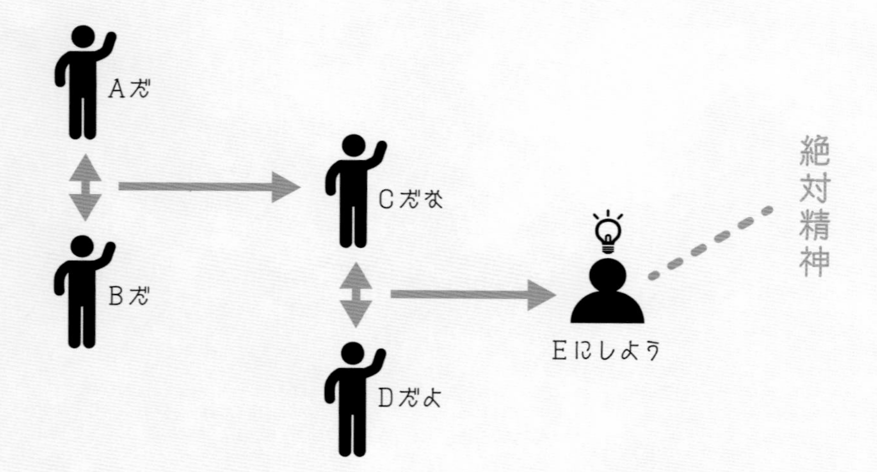

Q1 自由の本質って何？

A 人間が持つ欲望同士の矛盾によって生じる「制限」を乗り越えたときに実感されるものである、とヘーゲルはいいます。

人間はだれもが必ず多種多様な「欲望」を持っていますが、その欲望はしばしば相互に対立します。美味しいものを食べたいけれど太りたくない、夢を叶えたいけれど努力したくない……と、欲望同士が矛盾するのです。ヘーゲルは、私たち人間はこうした欲望の「制限」のうちにあることを自覚しており、この欲望の満たされなさを「不自由」として感じてしまうと考えました。つまり「自由」とは、私たちの欲望が本質的に目掛ける対象だというのです。

ゲオルク・ヴィルヘルム・フリードリヒ・ヘーゲル（1770～1831年）。カント哲学を継承したヘーゲルは、ドイツのシュトゥットガルトに生まれました。代表的な著書には『精神現象学（1807年）』『論理学（1812年）』『法の哲学（1820年）』などがあります。

Q2 自由を求めるとどうなるの？

A これまでの歴史において、人類は絶えず自由のために命を奪い合ってきました。

ヘーゲルによると、歴史上の戦争や革命は、人間が本質的に持つ「自由」への欲望から生じてきたといいます。奴隷や農奴など自由を奪われた人々は、自らの意志に従って生きるという欲望を実現するために、支配層に対して反乱を起こしてきました。戦争が絶えなかった本質的な理由は、こうした欲望が支配者層と被支配者層の両方に見られるからだとヘーゲルは考えたのです。

『イエーナに侵攻してきたナポレオンを見上げるヘーゲル』（作者不明）。フランス軍によるイエーナ占領の中、行進中のナポレオンを目撃したヘーゲルは「世界精神が馬に乗って通る」と評し、ナポレオンに敬愛の念を抱いていました。

Q3 どうすれば自由をめぐる戦いをおさめることができるの？

A 「自由の相互承認」の原理をもとに解決できるとヘーゲルは考えます。

まずは一旦、互いに「自由」を求めている存在であることを認め合う他に方法はありません。つまり、自らが「自由」を求めて生きているように、他者もまた「自由」を求めている存在であるということを相互に承認し、尊重する必要があるのです。この「自由の相互承認」を原理とする社会を構想し、実現することで、自由をめぐる戦いを終わらせ、社会全体で自由を実現できるとヘーゲルは考えました。

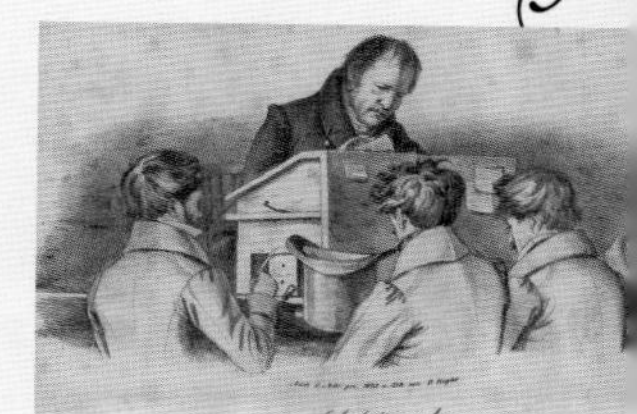

『ベルリン大学で講義するヘーゲル』（フランツ・クーグラー）。

System
der
Wissenschaft
von
Ge. Wilh. Fr. Hegel
D. u. Professor der Philosophie zu Jena,
der Herzogl. Mineralog. Sozietät daselbst Assessor
und andrer gelehrten Gesellschaften Mitglied.

Erster Theil,
die
Phänomenologie des Geistes.

Bamberg und Würzburg,
bey Joseph Anton Goebhardt,
1807.

原著『精神現象学』。1807年に出版された本書は、ヘーゲル独自の理論を打ち立てた著書であり、多くの哲学者に影響を与えました。

ヘーゲルの「歴史」

自由への意識が発展する過程

オリエント世界

専制君主ただ1人が自由

ギリシャ・ローマ世界

富裕層や有力市民などごく一部の者だけが自由

ゲルマン世界

神の前ではみんな平等に自由

「自由になりたい」という欲望が歴史を推し進める。

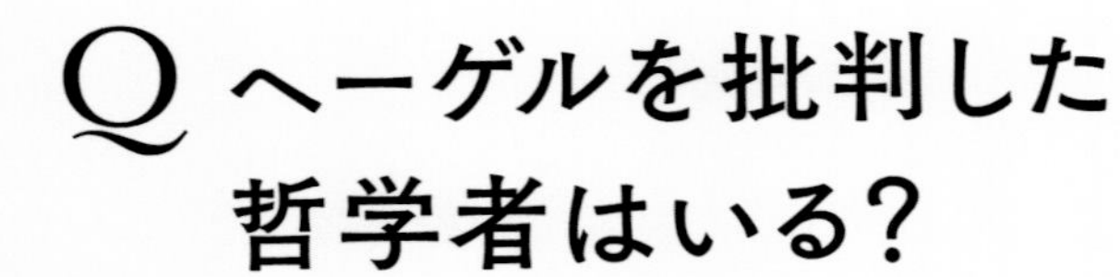

Q ヘーゲルを批判した哲学者はいる?

A キルケゴールがそのひとりです。

ヘーゲルとは異なる考え方を示したのが、デンマーク出身の哲学者キルケゴールです。彼は、現実世界の全体を体系的に俯瞰する視点ではなく、「今、現実に生きているこの私」の視点から思想を展開しました。

キルケゴールが在席したコペンハーゲン大学。デンマークで最も古い歴史があり、図書館はデンマークの王立図書館となっています。

「実存主義の祖」と、キルケゴールはいわれています。

人類全体に当てはまる普遍的な正しさよりも、
「今、ここに生きている私」にとっての真理を探す方が大事だと考えたキルケゴールは、
人間は自らの「主体的な真理」を求めて生きるべきだと主張しました。
このような人間のあり方に着目した彼の思想は、20世紀の「実存主義」に繋がっていきます。

Q1 「今、ここに生きている私」にとっての「主体的な真理」ってどんなもの？

A 「私」にとっての生きる目的、生きがいとなるものです。

キルケゴールは、「私にとって真理と思えるような真理、私がそれのために生き、それのために死にたいと思えるような真理」こそが、生きるために最も重要な主体的な真理であると説きました。

セーレン・オービュ・キルケゴール（1813～1855年）は、デンマークの首都コペンハーゲンの裕福な毛織物商人の家庭に生まれました。敬虔なキリスト教徒であった父ミカエルは、後にキルケゴールの思想に大きな影響を与えることとなります。

Q2 「主体的な真理」に辿り着くには、どうしたらいいの？

A 人間の実存的な生き方には3段階あって、絶望をきっかけにしてその段階が深まり、やがて真理に辿り着く、と説きました。

キルケゴールは、主著『死に至る病』の中で、主体的な真理に到達する道として、「美的実存」「倫理的実存」「宗教的実存」の３つからなる「実存の３段階」という生き方を示し、「宗教的実存」に至ることで初めて、人間は主体的な真理に辿り着くと説きました。

Enten – Eller.

Et Livs-Fragment

udgivet

af

Victor Eremita.

Første Deel

indeholdende A.'s Papirer.

Er da Fornuften alene døbt,
ere Lidenskaberne Hedninger?
Young.

Kjøbenhavn 1843.

Faaes hos Universitetsboghandler C. A. Reitzel.
Trykt i Bianco Lunos Bogtrykkeri.

『あれか、これか（1843年）』初版の表紙。キルケゴールが30歳のときに出版された本書は、美的な生き方を追求したAの手記と倫理的な人生を選んだBの手記の前後２部で構成されています。キルケゴールにはこの著書の他に、『死に至る病（1849年）』『不安の概念（1844年）』などの代表作があります。

Q3 なぜ神を信じることが主体的な真理を導くの？

A 神と向き合うことで、人間は初めて「個」としての存在を確立できるからだといいます。

キルケゴールは、神と一対一で直面するとき、人間は初めて自分を「ひとり（単独者）」として位置づけ、自分の本来のあり方をつかむことができると考えました。

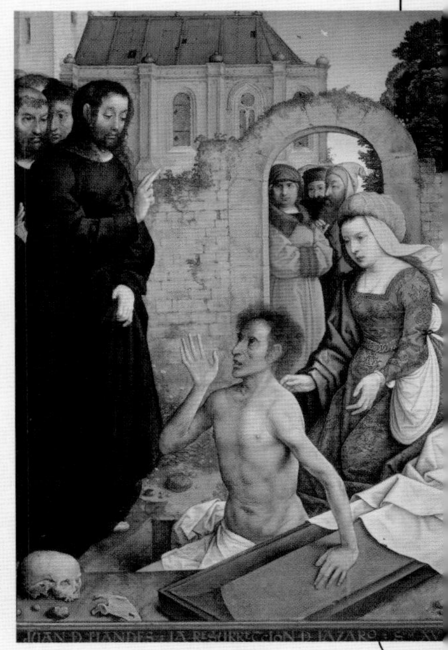

『ラザロの蘇生』（フアン・デ・フランデス）。キルケゴールの哲学書『死に至る病』の題名は、新約聖書の「ヨハネによる福音書」11章4節でイエス・キリストが、病気で死んだ友人ラザロを蘇生させた際に「この病は死に至らず」と述べたことに由来しています。

たったひとりで
神と向かい合う
単独者としてのあり方を
「宗教的実存」
という

真の実存 ＝ 主体的真理 ＝ 今、ここに生きる私にとっての真理

★COLUMN11★

キルケゴールの「実存の３段階」を詳しく教えて！

「美的実存」——美人やおいしい食べ物、感動的な芸術といった刹那的な快楽や満足を追い求める生き方。しかし、いつまでも欲求が満たされることはなく、やがて自分を見失い虚無感に陥ってしまう。

「倫理的実存」——自分の理性のもと、倫理によって正義を追い、人のために生きることを求めるあり方。しかし、このような充実感は自己中心的な側面もあり、かえって自分を空虚な存在にしてしまう。

「宗教的実存」——これら２つを合わせたもので、人間の理性の限界を自覚し、神の存在を信じ、神を拠り所とする生き方。

キルケゴールは、神への信仰こそが「今、ここに生きる私」にとっての真理を明らかにすると説きました。

現代哲学への移行

近代社会が成熟してきた19世紀半ば、哲学では近代から現代への移行が起こり始めます。現代の哲学においても、近代哲学と同様に、「認識」の問題と「社会」の問題をめぐる議論が大きな柱となります。

『鉄圧延機工場』（アドルフ・フォン・メンツェル）。世界で最初に産業革命を成し遂げたイギリスは、19 世紀には圧倒的な経済力や軍事力を持つ世界最大の工業国として君臨します。同じ頃、ナポレオンの支配から解放されたヨーロッパ諸国はイギリスに対抗するべく国をあげて産業を育て、軍備の強化に努めました。

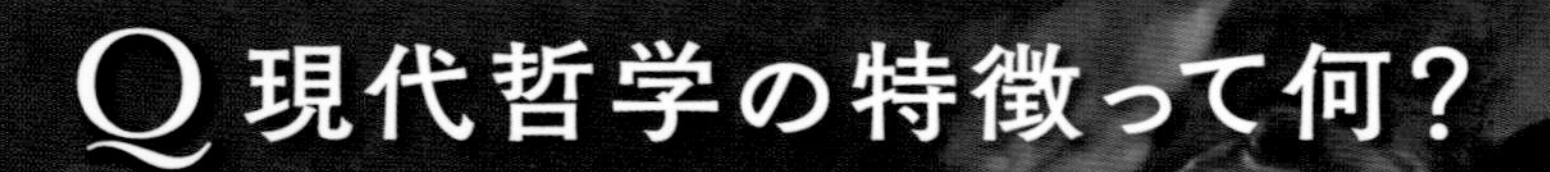

Q 現代哲学の特徴って何？

A 大きな特徴は、倫理、価値の究極の根拠から「神」が取り除かれたことでしょう。

ドイツの哲学者ニーチェは「神は死んだ」と宣告し、自然科学と産業化が発展していく時代の中で、それまでの善悪や正・不正の観念を支えてきた絶対的な価値観のもとにある「神」の失墜を洞察しました。ニーチェの思想は、20世紀以降の哲学に対して非常に大きな影響を与えました。

『キリスト降架』（ピーテル・パウル・ルーベンス）
磔刑に処されたイエスの遺骸が十字架から降ろされる場面を描いた本作品は、アニメにもなった『フランダースの犬』の主人公ネロがどうしても見たかったルーベンスの絵画としても有名です。

欲望が価値を創出する原理だとニーチェは説きました。

それまでの哲学で論じられていた「真理」「正義」「善」といった諸価値の原理を探求し、
「存在」の思想に代えてニーチェは、「生成」の思想を提示しました。
諸価値はそれ自体で「ある」のではなく、
私たちの「欲望（力への意志）」により作り出される「解釈」だと考えたのです。

Q1 ニーチェにとっての「善」って何？

A 弱者の「ルサンチマン（恨み、嫉妬）」が、作り出したものであるとしました。

ニーチェは、「善」という概念は、弱者の強者に対する妬み・嫉みから、「優良」に対する対抗概念として生み出されたと考えました。現実を直視する力をもたない弱者は、優秀さをよしとする自然な価値基準をねじまげ、弱さや貧しさこそが善であるとみなすようになったといいます。

フリードリヒ・ヴィルヘルム・ニーチェ（1844～1900年）。ドイツ・プロイセン王国に生まれたニーチェは、24歳の若さでスイス・バーゼル大学の教授に推薦され、古代ギリシアに関する古典文献学を教えていました。34歳で教授職を退いた後は10年にわたって執筆活動を続けていましたが、44歳のときに道端で発狂し精神錯乱に陥り、55歳で死去するまで会話もままならない状態だったといいます。

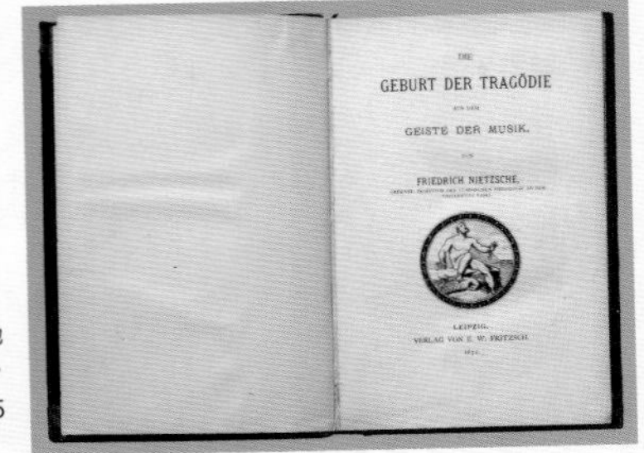
GEBURT DER TRAGÖDIE
GEISTE DER MUSIK.
FRIEDRICH NIETZSCHE,
LEIPZIG.
VERLAG VON E. W. FRITZSCH.

ニーチェの処女作『悲劇の誕生（1872年）』の初版本のタイトルページ。この他に『人間的な、あまりにも人間的な（1878年）』『道徳の系譜（1887年）』『ツァラトゥストラはこう語った（第1部:1883年、第2·3部:1884年、第4部:1885年）』などの代表作があります。

2Q なぜ弱さが善であるとするようになったの？

A 弱さの価値を高めることで、自分の生を肯定するためです。

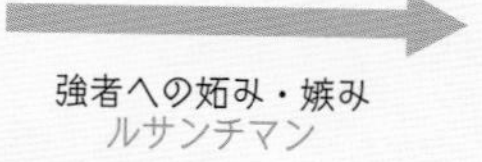

体が弱い人は
心が優しい
貧しい人は
正直で欲がない
お金持ちは
強欲で非道

恵まれない弱者

強者への妬み・嫉み

恵まれた強者

ニーチェは弱者が弱さを善とするのは、それによって自分が弱い存在であるという自分を肯定するためであると考えます。こうして弱者が現実から目を背け、空想の世界へと逃げ込み、強者に対して想像上の復讐を行う一方で、強者はどれだけ苦しく厳しい状況でも、それを唯一の現実として受け入れるといいます。こうした強者のあり方を、ニーチェは「超人」と呼びました。

3Q 「超人」とそうでない人間は何が違うの？

A 大きく違うのは、唯一ここにある現実を肯定するか否定するか、という点にあります。

ニーチェは「超人」としての強者を、たとえどれだけ苦しく難しい現実であったとしても、これを力強く肯定する存在として描き出しました。現実から目を背け、それに対して働きかけることを諦めてしまうのではなく、価値や生の目標を自分自身で創り出し、自らの意志により現実に向き合う人間の可能性を示したのです。

ニーチェが考えた
超人
自らの意志によって
人生の意味や価値を
創り出す存在
としての生き方のモデル

★COLUMN12★

「超人」の理念

ニーチェは、超人という理念を定めることで、現実を力強く肯定することが可能になると考えました。彼は、それまでの道徳観や倫理観の絶対性が崩れた世界において、新しい人間のあり方を提案し、生をよりよく肯定するための原理を論じたのです。

Also
sprach Zarathustra.

Ein Buch
für
Alle und Keinen.

Von
Friedrich Nietzsche.

Chemnitz 1883.
Verlag von Ernst Schmeitzner.

『ツァラトゥストラはこう語った』。1883年から1885年にかけて発表された本作品は全4部構成になっており、主人公ツァラトゥストラの口を通じて「神の死」「超人」といった思想が論じられています。

「フリードリヒ・ニーチェの肖像（1906年）」（エドヴァルド・ムンク）
ニーチェの死から6年後、本作品の制作を依頼したスウェーデンの著名な銀行家、実業家、芸術のパトロンであったアーネスト・ティールは、ムンクを"ニーチェの精神と思想を最も視覚化した芸術的解釈者"と考えていました。そしてムンク自身もまた、ニーチェを崇拝しており、積極的にニーチェの精神を描き出そうとしていました。

Q 心理学のあり方を大きく転換した心理学者はだれ？

写真は、現代心理学の父、ドイツの生理学者ヴィルヘルム・ヴント（1832～1920年）による、心理学実験の様子です。19世紀に入ると、当時の哲学の中心にあったドイツ観念論が影響力を失っていく一方で、自然科学がより一層発展していきます。1879年、ヴントがライプツィヒ大学に心理学実験室を開設したことをきっかけに、哲学の一領域から「心理学」が成立。その後、ヴントの心理学への対立から、フロイトなどの新たな心理学の領域が誕生しました。

A　フロイトがそのひとりです。

フロイトはオーストリアの精神科医で、「精神分析学」の創始者として知られています。彼は、意識できない心の領域（無意識）について研究し、精神分析を治療法として確立しました。人間の心のあり方に関するフロイトの洞察は、20世紀の哲学や思想にも大きな影響を及ぼしました。

無意識が人間を動かしていると フロイトは考えました。

それまでの心理学では、人間が自覚できる意識や行動が研究対象でしたが、
無意識に着目したフロイトは、自覚できる意識ではなく、
無意識こそが人間を動かしていると考えたのです。

Q1 無意識が人間を動かすってどういうこと？

A フロイトによれば、一切の心的活動の原理は、
無意識に属する欲動（リビドー）であり、
リビドーが人間の行動における原動力となるといいます。

リビドーは、性的欲求を中心とする精神エネルギーを指す概念です。フロイトは、リビドーは人間を含むあらゆる生物に備わっており、生物の行動全般を規定すると考えました。

ジークムント・フロイト（1856～1939年）。ユダヤ人の貧しい羊毛商人の息子として生まれたフロイトは、ウィーン大学で医学を学び、卒業後、病院勤務や大学講師を経て、ウィーンで開業医となりました。

フロイトの主な著書には『夢判断（1900年）』『精神分析入門（1917年）』などがあります。写真は、1900年に刊行されたドイツ版『夢判断』のオリジナル表紙。睡眠中に見る夢が無意識と密接に関係していると考えたフロイトは、夢の内容から無意識下にある願望や不安を分析する「夢判断」と呼ばれる方法を提唱しました。

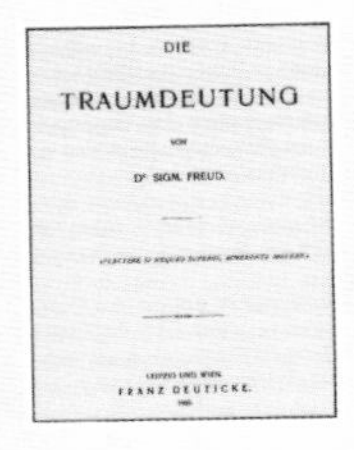

Q2 リビドーは何に支配されているの？

A フロイトによると、リビドーは
「快感原則」と「現実原則」の
2つの原則に支配されているといいます。

快感原則とは、快楽を求めて苦痛・不快な気持ちを解消しようとするように心のあり方を規定する法則のこと。現実原則は、現実社会の要求に応じて自分の欲望を制御しようとするように心のあり方を規定する法則のことを指します。フロイトはこの２つが心のうちで対立することで、人間の葛藤、すなわち「コンプレックス」が生まれると考えました。

『オイディプスとスフィンクス』（ギュスターヴ・モロー）。フロイトはこの人間の葛藤を、父親を殺し実の母親と結婚したギリシア神話のエディプス（オイディプス）王になぞらえて「エディプス・コンプレックス」と名付けました。この仮説によると、男児はおよそ３歳から６歳にかけて、母親に対する性的願望をもち、無意識的に父親に敵対心を抱くといいます。

Q3 フロイトは心の構造をどう捉えたの？

A 「エス」「自我」「超自我」の３つの領域から構成されるとフロイトは考えるに至りました。

心のあり方に関するフロイトの考えは学説の展開とともに変化しています。後期のフロイトの学説では、心は「エス」「自我」「超自我」の３つの領域から構成されるとされました。様々な欲求により規定され、無意識に属する「エス」、道徳的規範によって形成される「超自我」、そしてこれらの要求のバランスを調整する役割を持つ「自我」です。フロイトは、エスと超自我に挟まれた自我が、２つの方面からの要求を、現実世界にあわせて調整する役割を果たすと考えました。

「シャルコー博士の臨床講義の様子」（ピエール＝アンドレ・ブルイエット）。1885 年、フロイトは 29 歳でパリへ留学し、当時ヒステリー研究で知られていた神経学者ジャン＝マルタン・シャルコーの下でヒステリー症状の治療法を学びました。ウィーンに戻ると一般開業医として、催眠によるヒステリー療法を実践に移し、治療経験を重ねるうちに、フロイトの精神分析法が構築されていきました。

快感原則
快楽を求めて苦痛・不快な気持ちを解消しようとする

現実原則
現実社会の要求に応じて自分の欲望を制御しようとする

エス
無意識に属する性的なリビドー

自我
エスと超自我のバランスを調整

超自我
道徳的規範によって形成される自我

★COLUMN13★

フロイトが与えた影響

フロイトは、自らの説を科学的に証明できると考えていましたが、その後の心理学では実証されておらず、現代に至るまで評価が分かれています。心理学者のアドラー（1870～1937年）やユング（1875～1961年）のように、初めはフロイトの理論に賛同し、その後離反した人もいます。それでもなお、無意識の存在を指摘したことを含めて、彼の理論は以後の思想に多大な影響を与えたといえます。

アメリカのクラーク大学にて、前列左からフロイト、スタンレー・ホール（1844～1924 年）、ユング。後列左からアブラハム・ブリル（1874～1948 年）、アーネスト・ジョーンズ（1879～1958 年）、フェレンツィ・シャーンドル（1873～1933 年）。

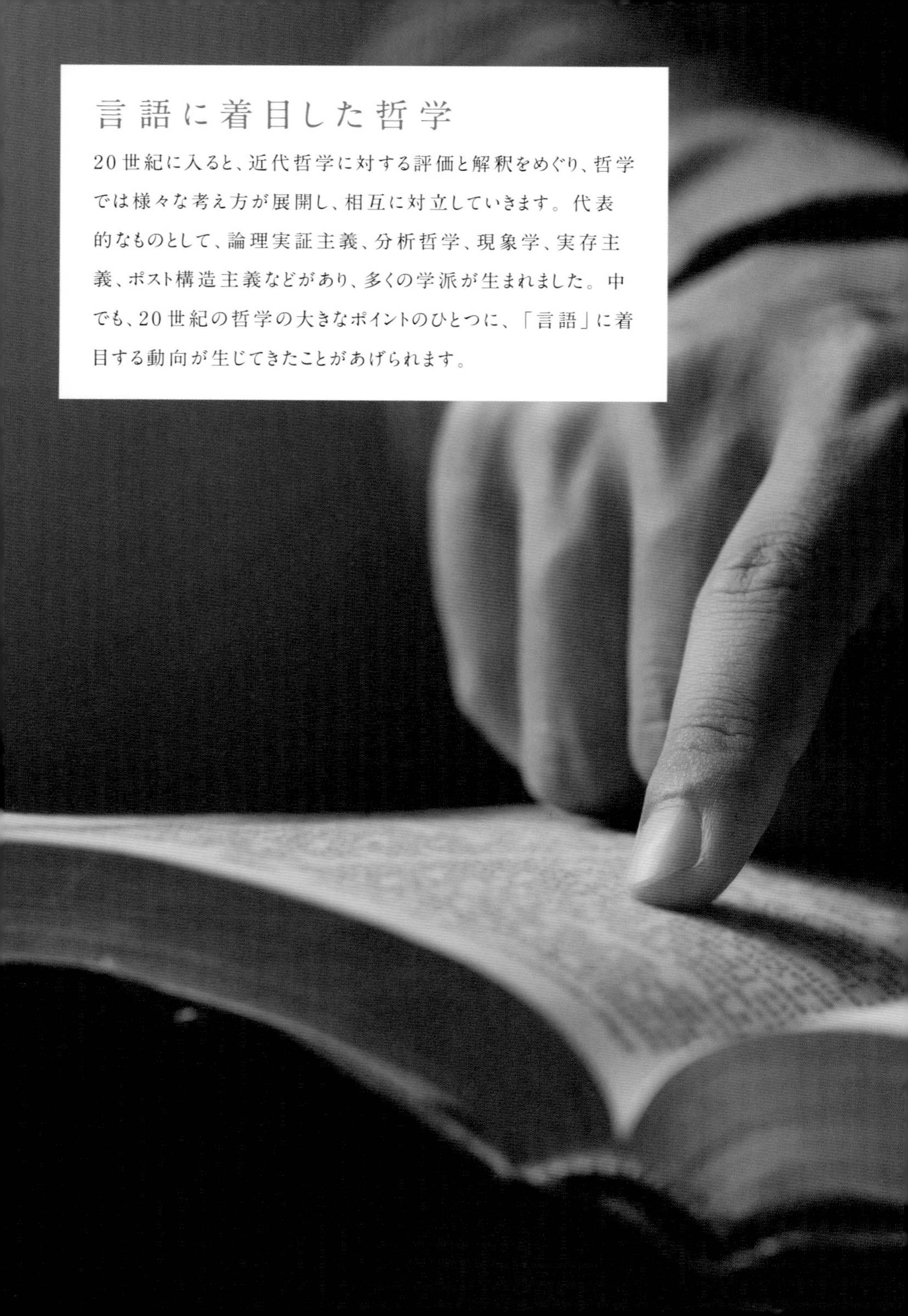

言語に着目した哲学

20世紀に入ると、近代哲学に対する評価と解釈をめぐり、哲学では様々な考え方が展開し、相互に対立していきます。代表的なものとして、論理実証主義、分析哲学、現象学、実存主義、ポスト構造主義などがあり、多くの学派が生まれました。中でも、20世紀の哲学の大きなポイントのひとつに、「言語」に着目する動向が生じてきたことがあげられます。

認識の問題から派生した「言語」の問題については、言語を正しく用いれば客観世界を正しく言い表せるという立場と、言語は使い方で意味が決まるので、客観世界を写し取ることはできないという２つの立場で対立があります。これは、近代哲学における「合理論」と「経験論」の対立と同じ形の対立だといえるでしょう。

Q 20世紀に入って、言語に対する見方はどう展開していくの？

人類史上最も古い文字のひとつ、メソポタミア文明で使用されていた「楔形文字」です。粘土板に植物の茎などで文字を刻み込み、乾燥させて保存したといいます。刻まれた文字の形状が、石を削る「楔（くさび）」という道具に似ていることから、この名称となりました。この他に、人類最古の文字として、エジプトの「ヒエログリフ」、中国の「甲骨文字」があります。これらは5000年前～3000年前には存在したといわれています。

A「言語が世界を規定している」というソシュールが導き出した洞察が言語の見方の大きな転換点になりました。

それまでの言語学は「歴史言語学」と呼ばれ、各言語の変化に関する法則性を見出そうとする研究が中心とされていました。これに対し、スイスの言語学者ソシュールは人間と言語の関係に着目し、構造や体系といった言語の本質を分析した独自の言語学を確立しました。ソシュールが導き出した「言語が世界を規定している」という洞察は、言語と世界の関係に対する人々の見方を大きく転換するものとなりました。

「近代言語学の父」とソシュールはいわれています。

ソシュールは言語の研究を続けている中で、
人々が話す言葉には民族や文化を超えた共通の特徴があることに気がつきました。
そして、世界に存在するすべての言語は「記号」の体系になっていることを把握したのです。

Q1 言語が記号の体系になっているってどういうこと？

A 言語は現実世界を解釈し、像として描くための意味の体系だということです。

ソシュールは、言語の基本単位を「シーニュ（言語記号）」とし、これは「シニフィエ（意味されるもの。概念やイメージ）」と「シニフィアン（意味するもの。文字や音など）」から構成されていると考えました。

フェルディナン・ド・ソシュール（1857～1913年）。スイス・ジュネーブの裕福な貴族の家に生まれたソシュールは、幼いながらにドイツ語、英語、ラテン語、ギリシア語を習得するなど、神童ぶりを発揮していました。

シーニュ
シニフィエとシニフィアンを合わせたもの
（言語記号）

著名な学者を数多く輩出していたソシュールの家系は、故郷ジュネーブで名門一族として知られていました。

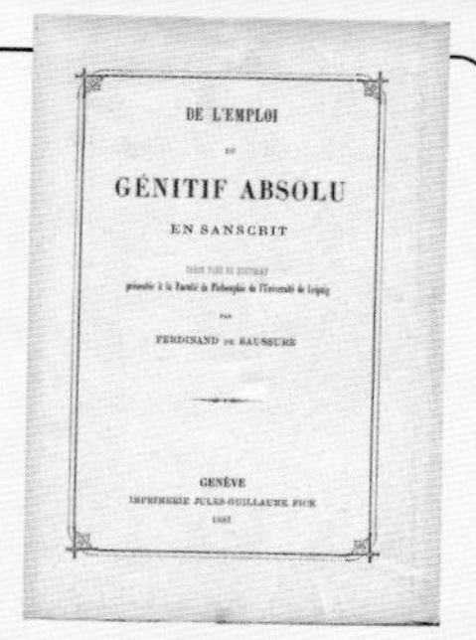

DE L'EMPLOI

DU

GÉNITIF ABSOLU

EN SANSCRIT

PAR

FERDINAND DE SAUSSURE

GENÈVE

IMPRIMERIE JULES-GUILLAUME FICK

ドイツのライプツィヒ大学に留学したソシュールは、1880年2月に学位論文「サンスクリットにおける絶対属格の用法について」を同大学に提出し、教授陣の全員一致で博士号を取得しました。

Q2 言語と世界の関係についてもっと教えて！

A 言語は、世界に存在する事物を区別し、意味の秩序を定めるものとして働きます。

言語は世界のあり方と一対一で対応しているのではなく、人間の欲望や関心に応じて世界を“切り出す”ものが言語である、とソシュールは説きました。つまり、人間が様々な実体に対応する言語（名前）を付けているのではなく、人間が言語を使って世界を区切る（分節化する）ことで、世界を意味の秩序として把握するというのです。

ジュネーブ大学教授に就任したソシュールでしたが、その生涯において著作を一切残さなかったうえに、講義が終わるとその草稿（講義の内容）を破り捨てていたといいます。そこで、わずかに残された草稿と、ソシュールの講義を聴講していた学生のノートを弟子たちがまとめて編集した『一般言語学講義』が、ソシュールの死後、1916年に出版されました。

★COLUMN14★

言語が世界を区切る

ソシュールは、言語のあり方の違いに応じて、世界の現れ方が変わると考えました。たとえば、日本語ではマグロとカツオを区別して呼びますが、英語ではどちらもツナ（tuna）と呼ばれます。さらに、蝶と蛾においても日本語では異なる言葉として存在しますが、フランス語では両方ともパピヨン（Papillon）と呼ばれています。つまり、世界そのものが言語に先立って存在するという見方は正しくなく、世界とは言語によって分節化される意味の秩序であるということができます。こうしたソシュールの洞察は、当時の言語学において非常に画期的なものでした。

言語によって世界の秩序が異なる

日本語

蝶　蛾

日本人
蝶と蛾を区別する

フランス語

Papillon（パピヨン）

フランス人
蝶と蛾を区別しない

Q 言語は世界を正しく表す（写し取る）ことはできるの？

A ヴィトゲンシュタインによると、世界を写し取るものではありません。

オーストリア出身の哲学者ヴィトゲンシュタインは、言語とは他者との交流の中でルールに基づいて行われる営みだとしました。言語を分析することが哲学の本質的な役割であるという考えを中心に置き、自身の哲学を展開していきます。彼の思想は大きく前期と後期に分けられますが、言語の本質に着目した点で共通しています。特に、言語をコミュニケーションの観点から捉えたヴィトゲンシュタインの後期の理論は、現代哲学の方向性を定めるものとなりました。

『バベルの塔』(ピーテル・ブリューゲル)。旧約聖書の「創世記」に登場する巨塔。天まで届く塔を建てようとした人間の高慢さに怒った神は、人々が使う言語を混乱させて住む場所をあちこちに分散させ、塔の完成を妨げたといいます。

人間が日常的に使う言語こそが、哲学の問題の根本にあるといいます。

ヴィトゲンシュタインは、それまでの哲学では「真理とは何か」や「神とは何か」という
実在しない事柄についての議論が行われていたと批判し、
言語の本質的なあり方について考察しました。

Q① まずヴィトゲンシュタインは、言語についてどう考えたの？

A 言語は、世界を完全に表すことができるという考えをまず示しました。

前期の主著『論理哲学論考（以下『論考』）』でヴィトゲンシュタインは、世界は言語により正確に写し取られると考えました。そして、世界は言語で完全に表現することが可能であり、哲学のあらゆる問題は最終的に解決された、と論じたのです。

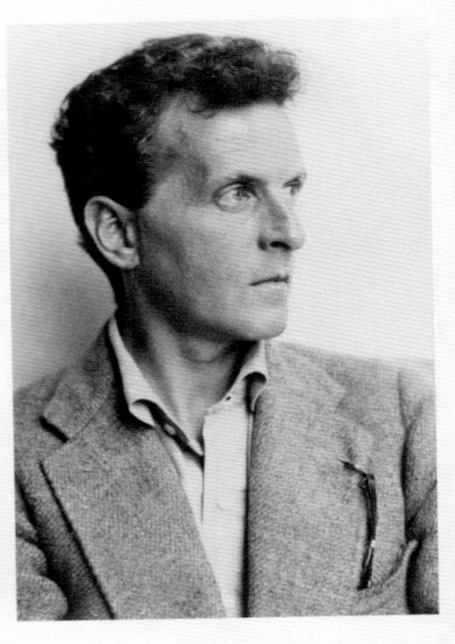

ルートヴィヒ・ヴィトゲンシュタイン（1889～1951年）。オーストリアのウィーンに生まれたヴィトゲンシュタインは技術者を目指し、14歳のときにリンツ高等実科学校に入学します。このとき、アドルフ・ヒトラー（1889～1945年）が同じ学校に在籍していたといいます。その後、30代で前期の著書『論考』を発表したヴィトゲンシュタインは、すべての哲学の問題は『論考』によって解決したとして、哲学の世界から距離を置き、故郷オーストリアで小学校教師となりました。

人間は「真理」に到達できるか？

神は存在するのか？

「正義」「道徳」とは何か？

これらの問題のように現実に存在しないものを
言葉にしようとするとただの「おしゃべり」になってしまう

言葉にできないものについては沈黙しなければならない

Q2 ヴィトゲンシュタインの思想は、前期から後期にかけてどう変化したの？

A 人間が日常的に行う言語活動は、ルールに基づいて行われる営みとする見方に至りました。

ヴィトゲンシュタインは『論考』で、言語は世界を写し取るものであると論じました。しかし、言語が具体的にどう用いられているかという観点から、改めて言語のあり方を問題とし、ついには前期の理論を覆す新しい説を提唱するに至ります。その際にヴィトゲンシュタインが示した概念が「言語ゲーム」です。

『論考』出版の頃のヴィトゲンシュタイン（右から２番目）。彼は数年間小学校の教師をしていましたが、辞職してしまいます。その後、哲学研究への道に戻るべく、学位を取得していなかった彼は 1929 年 40 歳のときにケンブリッジ大学に『論考』を博士論文として提出し、博士号を取得。1939 年には正式にケンブリッジ大学の哲学教授となりました。

Q3 「言語ゲーム」って何？

A 日常生活で行われるあらゆる言語活動一般を指すものです。

ヴィトゲンシュタインは、『哲学的探求』において、日常のあらゆる場面で人間が言語を使ってお互いに行う行為を「言語ゲーム」と呼びました。他人に何かを要求したり、それに応答したりする一切の現象は言語ゲームをであり、言語は他者との交流として行われる営みである、という言語についての新たな洞察を展開したのです。つまり、言語というものはそれ単体では意味を持たず、ゲームのように言葉のやり取りを重ねることで、その意味が確定されていくのです。

イギリスのケンブリッジにあるヴィトゲンシュタインの墓。1949 年に前立腺がんと診断されたとき、ヴィトゲンシュタインは後期の著書『哲学的探求』の原稿をほぼ書き上げていましたが、その２年後に亡くなってしまいます。彼の死後、1953 年に弟子たちによって出版されました。

言語ゲーム
「朝のあいさつ」という
ルールが定まることで
初めて「おはよう」
という言葉が意味を持つ

言語ゲーム

言葉 ＋ 文脈 ＝ 意味

現代哲学1

近代哲学の認識論で探究された“主観と客観が一致しているのかどうか”という問題については、現代哲学でより活発に論じられていきます。20世紀の初頭には、オーストリア出身の哲学者フッサールが、「現象学」という分野で、それまでの認識論とはまったく異なる画期的なアプローチを提唱しました。フッサールの思想は、20世紀以降の哲学のひとつの主要な流れとなります。

20 世紀に入り、科学技術は目覚ましい進歩を見せます。ライト兄弟が発明した飛行機の他、潜水艦、宇宙ロケットなども開発され、人類の行動可能な範囲は地上だけでなく、空・海・宇宙へと広がっていきました。この写真は、1903 年 12 月 17 日、ライト兄弟が人類初の動力飛行機での有人飛行に成功したときのものです。

Q フッサールの現象学のポイントについて教えて！

フッサールはオーストリア帝国（現チェコ）のプロスニッツ（モラヴィア）のユダヤ人の家庭に生まれました。

A 普遍的認識の原理を解明したことにあります。

フッサールは、哲学を含む学問一般の認識の正当性の根拠を解明する学問として「超越論的現象学」を構想しました。彼は、相対主義と懐疑主義を乗り越えて、普遍的な認識の原理を明らかにすることをその狙いとしました。

フッサールの現象学の立場を示す「事象そのものへ」という言葉。

人間の意識において立ち現れる現象に着目したフッサールは、
そこから認識の普遍的な構造を明らかにしたうえで、
本質（意味）についての普遍的認識が成立する条件を洞察しました。

Q1 現象学では認識の本質をどう考えるの？

A 主観で成立する「確信」であるとフッサールは考えます。

フッサールによると、私たちの認識はどれも主観の内側で成立するものであるため、その認識が客観それ自体に合致（的中）しているかどうかはだれにも証明できないといいます。そうした「主客一致」の構図に代えて、認識とは確信の成立のことであり、単に主観的にすぎない認識も、客観的で普遍的な認識も、私たちの意識における確信に他ならないと考えました。

エトムント・フッサール（1859～1938年）はもともと数学基礎論を研究していましたが、ウィーン大学在籍時に哲学に転じ、以降、普遍的な認識論を立てる「現象学」を築きました。1930年代、ナチス政権下ではユダヤ系学者として教授資格剥奪、大学立ち入り禁止、著作発禁などの迫害を受けましたが、膨大な数の自筆原稿はナチスの検問を逃れて保管されていました。

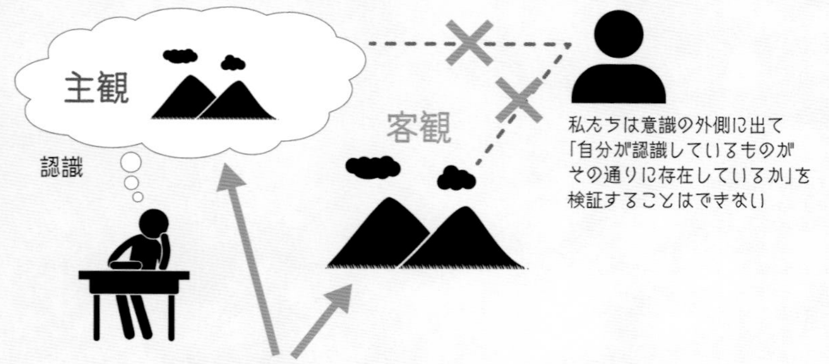

主観
認識
客観
私たちは意識の外側に出て「自分が認識しているものがその通りに存在しているか」を検証することはできない
主観と客観の合致はだれにも証明できない

Q2 現象学の基本の方法を教えて！

A 「判断停止（エポケー）」と「還元」があります。

フッサールは「世界には客観的な認識が存在している」という自然な世界認識のうちで私たちは生きていると考えました。世界認識の普遍性の根拠を解明するには、こうした素朴な見方をあえて一時的にストップし（判断停止）、私たち自身の意識に着目して、確信としての認識がどのように成立しているかについての本質的な構造を解明する必要があるといいます。そして、こうした「態度変更」を「還元」と呼びました。

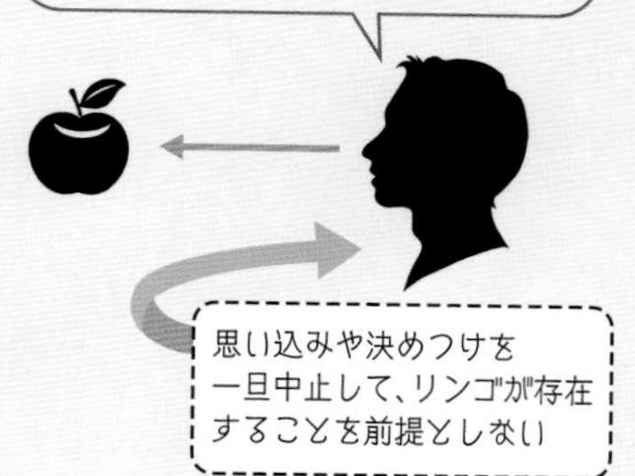

エポケー ＝ 客観的に「ある」という確信を
一時的にストップする
このリンゴは青色かもしれない
本当は作り物で食べられないかもしれない
もしかしたらこのリンゴは幻かもしれない
思い込みや決めつけを
一旦中止して、リンゴが存在
することを前提としない

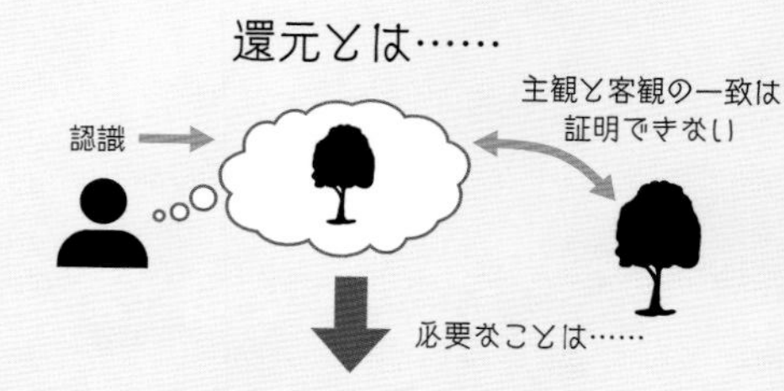

還元とは……
認識
主観と客観の一致は
証明できない
必要なことは……
なぜ私たちは
「自分が認識しているものがその通りに存在している」と
確信しているのかを解明すること

意識に現れるだけなのに
なぜ「存在」すると思うのか？

Q3 何のためにエポケーと還元をするの？

A 対象に関する認識の不可疑性の根拠を明らかにするためです。

フッサールは認識の対象が実在するかどうかをだれにも確かめられなくとも、意識の内側で対象に関するなんらかの知覚が生じていることはだれにとっても確実であるといいます。この疑い得ない確実な原理をもとにして、認識の普遍的で本質的な構造を解明することができると考えました。この「対象に関する知覚は確かに存在する」というフッサールの考えは、「我思う、ゆえに我あり」という原理を導くために用いられたデカルトの方法的懐疑のアイディアに基づくものです。私たち人間の意識における知覚経験を学問一般の基礎に定めたフッサールの現象学は、普遍的認識の条件と構造を解明することを狙いとした画期的な思想だといえます。

1928年にフライブルク大学を定年退職したフッサールは自らの後任として、後に紹介するハイデガーを強く推薦したといいます。

Q 現代哲学において、普遍的認識の他に取り組まれた問題を教えて！

A ひとつには「存在(ある)」をどう理解すればよいかという問いがあります。

ドイツの哲学者ハイデガーは認識論の代わりに、そもそも何かが「ある」とはどういうことかを理解することを目的とする「存在論」に取り組みました。彼は、まず存在への問いを立てられる人間自身の存在（実存）を明らかにしたうえで、存在の「意味」を解明することを目指しました。

20世紀の哲学者ハイデガーは、ひとりの人間が生きることの意味を問題としたキルケゴールの「実存」を掘り下げることで、まったく新しい思想の地平を切り拓きました。

ハイデガーは「存在（ある）」を考えるべき問題に定めました。

ハイデガーは、この世界にあるものを存在者（存在するもの）と呼び、
存在者と存在の間に区別を置きます。
そして、これまでの哲学は存在者に「かまけて」おり、
存在者をあらしめている存在それ自体については「なおざり」にしてきたとして、
従来の哲学のあり方を批判しました。

Q1 ハイデガー自身は、存在についてどのように考えたの？

A 主著『存在と時間』では、私たちが日常世界をどう生きているかという観点から論じました。

ハイデガーは存在について正しく問うためには、存在について問うことのできる唯一の存在者である私たち人間の存在（実存）をまず明らかにする必要があると考えました。そこで、日常世界を生きる実存に着目し、これを「気遣い（関心・欲望のこと）」という概念で呼びます。ハイデガーは、日常世界における事物は、この気遣いに相関してその存在の意味を明らかにするとしました。

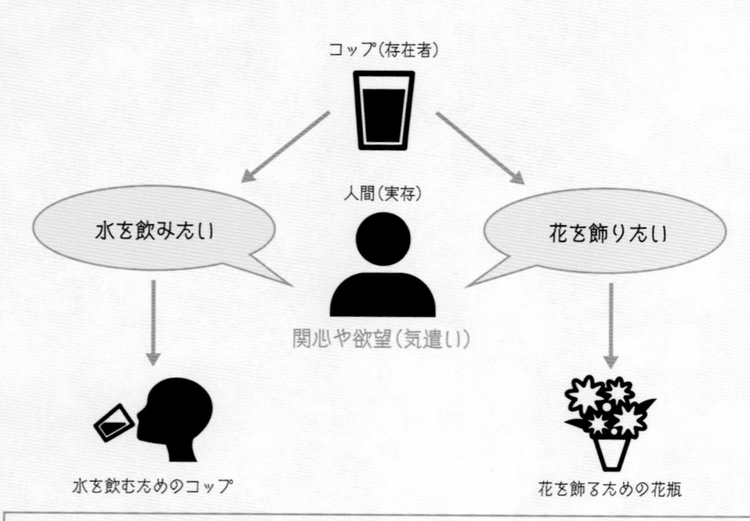

たとえば、目の前にコップがあるとします。これは「水が飲みたい」という気遣いにとっては、飲むためのものとして現れますが、「花を飾りたい」という気遣いに対しては花瓶という意味をもって現われてきます。このように「コップが何であるか」は、そのつどの気遣いにしたがって規定されます。つまり、物事の意味や目的はあらかじめ「客観的」なものとして定まっているのではなく、私たち人間の関心や欲望に相関して立ち現れてくるのです。

Q2 日常世界はどのように存在しているとハイデガーは考えたの？

A 私たち人間の「気遣い」を原理として編み上げられる意味の網の目であると考えました。

ハイデガーは、人間にとって世界とは第一に関心・欲望を原理とした存在者のネットワークとして立ち現れる現象であるとし、人間はそうした世界に親しみ「住まっている」ものとして世界を生きていると考えました。客観的な時間・空間の世界という「箱」のうちに人間が存在するという見方は、あくまで二次的なものだというのです。

マルティン・ハイデガー（1889～1976年）。ドイツ南西部メスキルヒの牧師の子として生まれたハイデガーは1909年、20歳のときにドイツのフライブルク大学に入学し哲学を学びました。

ハイデガーが少年期を過ごしたドイツ南部メスキルヒの家。

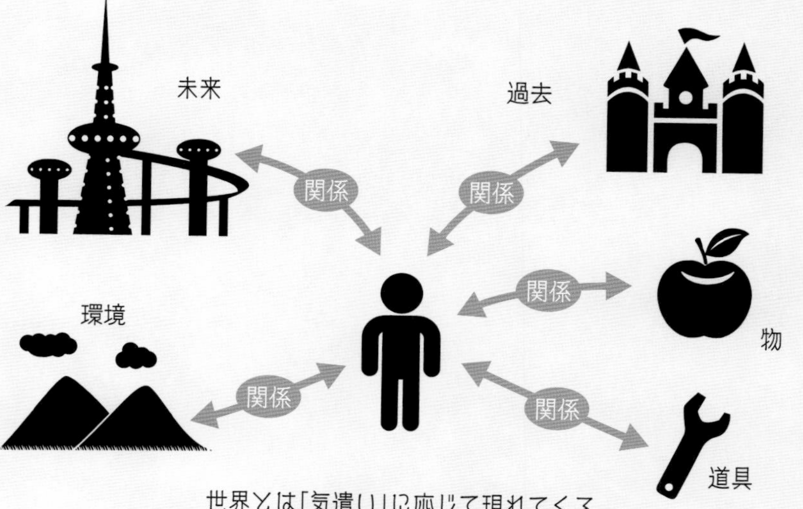

Q3 人間の本来的なあり方について ハイデガーはどう説いたの？

A 存在の「声」に従い
それをもとに本来の生き方を達成するのが、
本来的あり方としました。

ハイデガーは私たち人間は日常世界において、自分を生かしている根拠である存在のことを忘れてしまい、そのつどの気遣いに応じて生きるだけのもの、つまり世界に安住したあり方となっていると考えました。こうした状態は「非本来的」であり、そこから立ち直って存在に「尽くす」ことが、人間として本来的なあり方であると説きました。

メスキルヒにあるハイデガー夫妻の墓。右隣には両親の墓、左隣には弟フリッツ夫妻の墓があり、ハイデガー夫妻の墓石の墓紋は十字架でなく星型になっています。また、ハイデガーの主著『思惟の経験から』では「星に向かって進むこと、ただこれのみ」と書かれています。

Q4 人間の存在とそれ以外の存在の違いを、ハイデガーはどう考えたの？

A 人間は他の存在者と異なり、
自分の存在の「終わり」としての「死」に関わりながら
存在していると考えました。

ハイデガーによると、私たち人間は単なる動物や物と異なり、自身の「終わり」としての「死」を常に意識しながら存在しているといいます。このことは死の可能性に関する不安という形で現れてくるとし、この不安こそ自分の存在を「終わり」まで完全に生き抜き、存在の声に従った本来的な生き方をするための本質的なきっかけになるとハイデガーは考えました。

存在の呼び声に応えよう

実存

死を常に意識しながら
自分本来の生き方を選んでいく

死

フライブルクにある大聖堂。ハイデガーの父フリードリヒ・ハイデガーは聖マルティン教会の家屋管理人で、「マルティン」の名はこの教会に因んで名づけられました。フライブルク大学に入学した当初はキリスト教神学を研究していたハイデガーですが、およそ２年後に哲学部へと転部しました。

Q 言語と存在の他に、現代哲学で取り組まれた問題にはどんなものがある?

デカルトの「心身二元論」以降、近代哲学では人間の精神（意識）と身体は別物であるとみなす考え方が主流となっていましたが、メルロ＝ポンティは精神と身体は深く繋がっているとして自身の思想を展開しました。

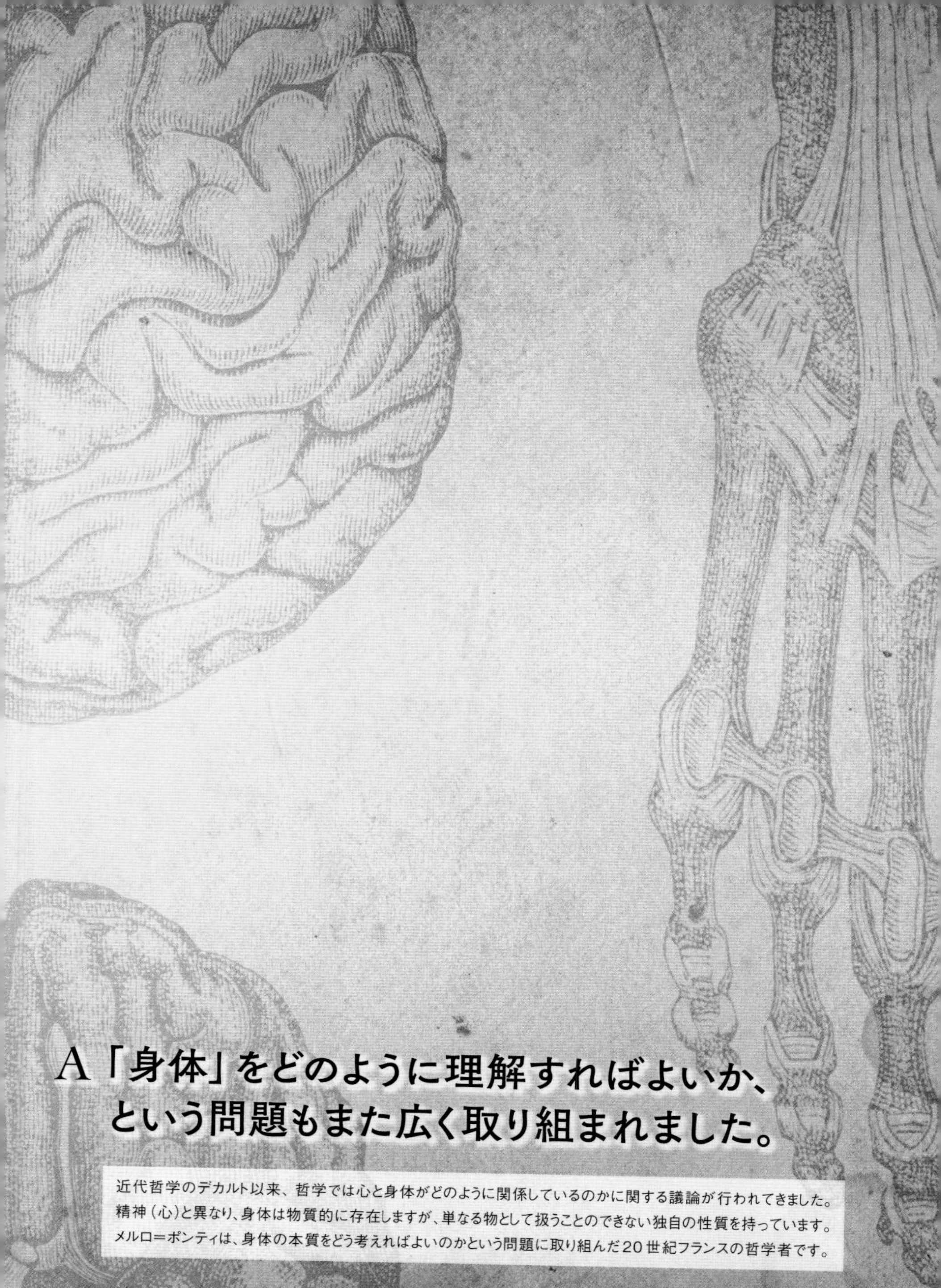

A「身体」をどのように理解すればよいか、という問題もまた広く取り組まれました。

近代哲学のデカルト以来、哲学では心と身体がどのように関係しているのかに関する議論が行われてきました。精神（心）と異なり、身体は物質的に存在しますが、単なる物として扱うことのできない独自の性質を持っています。メルロ＝ポンティは、身体の本質をどう考えればよいのかという問題に取り組んだ20世紀フランスの哲学者です。

意識と身体の関係の問題にメルロ＝ポンティは取り組みました。

人間の「身体」と「精神（意識）」を区別して考えていた伝統的な学説を批判し、
身体は「実存」の条件であり事物とは異なる固有の性質があるとメルロ＝ポンティは考えました。
そして、フッサールによる現象学の原理をもとに、
身体は「今ある」を超えて「ありうる」を目掛けるための、可能性の「座」とする考えを置きました。

Q1 人間の行動はどのように生じるとメルロ＝ポンティは考えたの？

A 身体が「切り開く」状況のうちで、ある目的を目掛けてなされるものと考えました。

メルロ＝ポンティによると、人間の身体行動は刺激に反応して知覚が生まれるという因果関係的な事象ではなく、身体と結びついた「状況（今私が生きている環境世界）」において、なんらかの対象を目指しそれを目掛けて起こる実存的なものであるといいます。

モーリス・メルロ＝ポンティ（1908 ～ 1961 年）。フランスのロシュフォールに生まれ、18 歳のときに高等師範学校（パリの PSL 研究大学のグランゼコール）に入学し、そこで後に紹介するサルトルやレヴィ＝ストロースらと交流を持ちます。21 歳のとき、フッサールの講演を聴講したことを機に現象学に傾注し、以後、現象学の立場から独自の身体論を構想しました。

Q2 身体行動が因果関係的な事象ではないとはどういうこと？

A 行動は現在の「今ある」という状態を超え出て、まだ実現されていない可能性や理想へと向かってなされるものであるということです。

単なる物は自然世界の因果法則に従って存在しますが、人間の身体や行動のあり方は因果法則によって支配されていません。人間にとって身体による行動とは、ある理想や目標を目掛けてなされたり、あるいは恐ろしい脅威から身を遠ざけるためになされることとして現れ、経験されます。この点で、身体の原理には常に「私」の存在があるとメルロ＝ポンティは考えました。

デカルトの身体の考え方

意識
私とは私の意識のことであり
身体は私ではない
私の意識が私の身体を
動かしている。
意識が主体で身体は客体である。

メルロ＝ポンティの身体の考え方

身体を含めて私
意識
意識は身体の中に存在するので、
身体と意識は結び付いている。
よって身体は主体とも
客体ともいえる。

Q3 メルロ＝ポンティの身体の考え方について教えて！

A 身体とは可能性の「座」として生きるものだといいます。

メルロ＝ポンティは第二次世界大戦に従軍し、レジスタンス活動にも加わりました。戦後はパリ大学文学部教授に就任し、児童心理学・教育学について研究していました。

メルロ＝ポンティは主著『知覚の現象学』において、「身体図式」という概念で身体の意味について論じています。私たち人間は幼児期にできなかったことであっても、次第に方法や手段を習得していきます。あるいは、交通事故に遭ってある部位が動かなくなった場合でも、リハビリを通じて別の部位を代わりに利用して生活できるようになります。ここでは身体図式の発展や刷新、置き換えが起こっているといえます。メルロ＝ポンティは、人間にとって身体とは生のあり方や可能性を規定する原理として働く、独自の性質を持つものであると考えました。

身体図式

無意識の
身体図式によって
歩いている

片足が使えないことを意識しても
身体が図式を覚えているので
うまく歩けない

リハビリしているうちに
やがて杖を含めた新しい図式ができ上がり
上手に歩けるようになる

Q「実存主義」ってどんな思想？

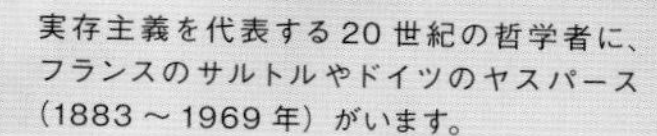

実存主義を代表する20世紀の哲学者に、フランスのサルトルやドイツのヤスパース（1883～1969年）がいます。

A 現実世界のうちに生きる人間の存在と自由の条件について論じた思想です。

実存主義は私たち人間の存在（実存）を、この現実世界のうちに「投げ込まれた」それぞれ固有の存在として位置付け、それについて論じる学派です。

サルトルの学説を象徴する言葉に「実存は本質に先立つ」があります。

「人間」と「事物」の存在の間にある決定的な違いは、
その意味（本質）が外側から規定されているかどうかという点にあります。
つまり、事物の場合は、存在の意味が「用途（使い道）」として人間によって定められますが、
人間の場合は現実世界へといつのまにか「投げ込まれて」おり、
そこからどのように生きるかを決めていくという形で、存在の意味を自ら規定していきます。
「実存は本質に先立つ」とは、こうした人間固有のあり方を指す表現です。

Q 実存主義は自由をどう考えるの？

A 人間が自らの存在の意味を選び取る可能性であるとしました。

サルトルは、私たち人間にはあらかじめ本質が定められておらず、人間は自らの意志によって可能性を選択し、自分の本質（目的や意味）を決定づけることができる「自由」な存在であると考えました。

ジャン＝ポール・サルトル（1905～1980年）。フランスの首都パリに生まれたサルトルは、幼い頃に父を亡くし、母方の祖父に引き取られます。そしてブルジョワ知識人階級として高い水準の教育を受け、18歳のときにパリの高等師範学校に入学して哲学を学びました。また、パリに住んでいた若き日のサルトルは、当時、現象学で名を轟かせ始めたフッサールの講義を聴くために、わざわざベルリンまで足を運んだといいます。

「実存は本質に先立つ」とはどういう意味？

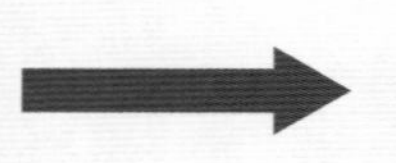

ハサミ（物）の場合
紙を「切るための物」が必要
本質
「切るための物」が作られる
存在

人間の場合
実存（存在）
サルトルは人間の存在を「実存」と表現する
自由の中で自分の意志による決断と行為
人間は後から自分自身の本質を作り上げていく
本質

Q2 存在の意味を選び取るとはどういうこと？

A サルトルによると、社会へのコミットメントを通じて自分の自由を発揮するということです。

サルトルは「アンガージュマン」という概念を提唱し、自由な個人が具体的な状況へと積極的に関わっていくことで社会を変革できると説きました。個々の人間が現実の社会的な関わりのうちで生きている以上、自身の存在する意味を十分に発揮するということは、社会への自由なコミットメント（関わり合い）という形で現れると考えたのです。

キューバを訪問し、シモーヌ・ド・ボーヴォワール（1908～1986年）とともにチェ・ゲバラと会談するサルトル（1960年）。サルトルはアンガージュマン（政治参加・社会参加）の知識人として、自らの政治的立場を鮮明にしていき、積極的に政治的な発言や実践を増やしていきました。サルトルは「20世紀で最も完璧な人間だ」と、ゲバラを高く評価していました。

チェ・ゲバラ（1928～1967年）は、アルゼンチン生まれの政治家、革命家。キューバ革命（1956～1959年）を成功させた「英雄」として高い人気を誇っています。

Q3 サルトルの自由論の独自性はどこにあるの？

A 自由の根拠を「私」の存在に置いたことです。

自由に関するそれまでの近代哲学の議論では、社会的な制度に着目して自由の原理について論じることが一般的でした。一方でサルトルは自由の条件を、行動する「私」の存在から見て取った点で、それまでにない新たな視点を、自由に関する哲学的考察のうちへ導き入れたといえます。

サルトル（前列左から2人目）の右側に立つ女性はシモーヌ・ド・ボーヴォワール。彼女はパリ大学在学中にサルトルと出会い、実存主義の立場から自由意思に基づく個人の選択を重要視し、「契約結婚」という婚姻後も子どもを持つことはなく、互いの性的自由を認めつつ終生の伴侶として生きました。

サルトルは実存と自由の関係について「人間は自由の刑に処せられている」と論じました。近代以降の人間は、世界のうちへと投げ出されているという意識のもと、自分自身で生き方を選択しなければならない「定め」を負っているというのです。

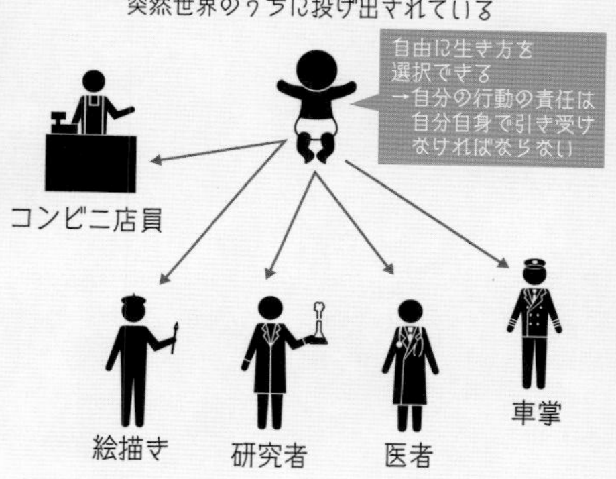
「自由の刑に処せられている」
自分の意志とは関係なく
突然世界のうちに投げ出されている
自由に生き方を
選択できる
→自分の行動の責任は
自分自身で引き受け
なければならない
コンビニ店員
絵描き
研究者
医者
車掌

Q サルトルの実存主義は その後どうなったの？

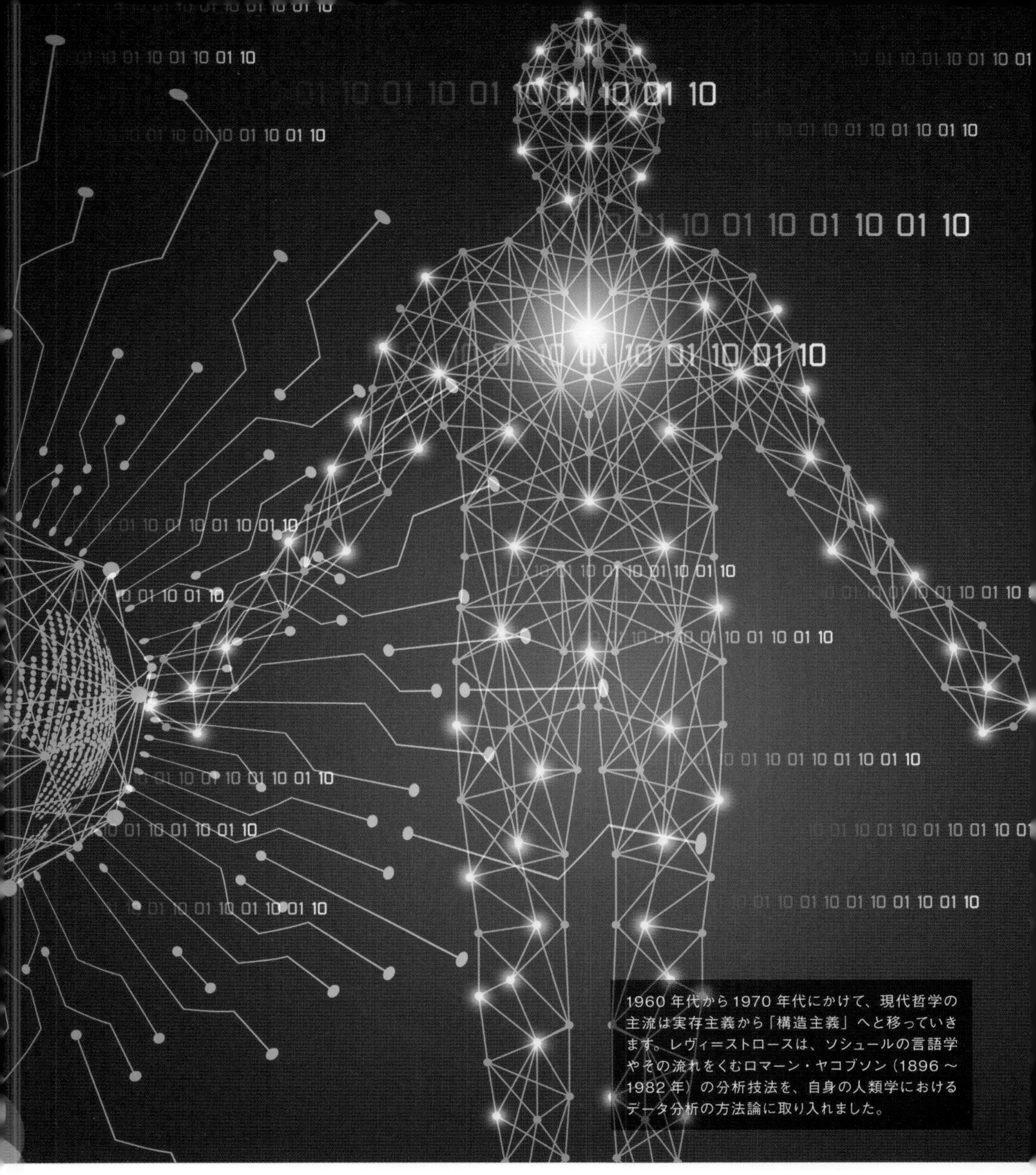

1960年代から1970年代にかけて、現代哲学の主流は実存主義から「構造主義」へと移っていきます。レヴィ＝ストロースは、ソシュールの言語学やその流れをくむロマーン・ヤコブソン（1896～1982年）の分析技法を、自身の人類学におけるデータ分析の方法論に取り入れました。

A　レヴィ＝ストロースによるサルトルの実存主義批判を受けて、次第に衰退していきます。

実存主義は構造主義の祖であるフランスの文化人類学者レヴィ＝ストロースにより痛烈に批判されます。レヴィ＝ストロースは、「自由な人間が主体的に行動して社会を変革できる」とするサルトル的な実存主義に対し、表面化せず具体的な形で現れ出ることのない「構造」が人間の生活を規定すると論じました。

世界の様々な文化には、共通の構造が存在すると考えました。

レヴィ＝ストロースは文化人類学者として、
ブラジルやオーストラリアなど世界各地の原住民の社会や文化を調査・研究しました。
それを通じて、近代西洋文明が「未開」と呼ぶ社会にも、
複雑で合理的な構造が存在することを洞察したのです。

Q1 構造主義のいう「構造」とは、どのようなもの？

A 社会の基盤をなす無意識の秩序のことです。

レヴィ＝ストロースは、様々な文化や社会に共通して見られる「近親婚の禁止」の制度に着目します。この制度は婚姻による「女性の交換」を通じて他の共同体と繋がりを保ち、共同体を維持する機能を果たします。先進的な社会も原始的な社会も、そこに生きる人間が意図的に定めたのではない複雑な制度を持つ構造を備えているとレヴィ＝ストロースは考えました。

クロード・レヴィ＝ストロース（1908 ～ 2009 年）。ユダヤ系フランス人（生まれはブリュッセル）。パリ大学で哲学と法学を学んだ後、民族学研究に転向し、1935 年、ブラジル・サンパウロ大学の社会学教授に就任しました。代表的な著書に『悲しき熱帯（1955 年）』『構造人類学（1958 年）』『野生の思考（1962 年）』などがあります。

無意識の普遍の構造

文明社会

原始社会

文明社会と原始社会に共通するシステムがある

近親婚の禁止

Q2 西洋中心主義って何？

A 西洋の文明が最良であるとみなす考え方のことです。

西洋の文明が最も優れており、それ以外の発達が遅れている文化や社会は西洋の文明を見習って発展すべきであるという思想が西洋中心主義です。レヴィ＝ストロースの構造主義は、こうした西洋中心の価値観や世界観を強く批判するものでした。

文明社会	原始社会
熱い社会 （資本主義、キリスト教の近代西洋の社会） ↓ 歴史的変化に敏感に反応し理論的、計画的に向かう「栽培的思考（科学的思考、文明の思考）」を持っている	冷たい社会 （小規模で原始的な社会） ↓ 社会性の安定・秩序の維持のために歴史的な要因を消す「野生の思考」を持っている

社会学教授としてブラジルに赴任したレヴィ＝ストロースは、アマゾン川流域に暮らす先住民の調査を通して文明の未発達な社会にも豊かな世界があることに気がつきます。彼らの習俗や儀礼、神話の数々が決して野蛮で未熟なものではなく、極めて精緻で論理的な思考に基づいているとして、それを「野生の思考」と呼びました。上の画像はアマゾン川流域の熱帯林に住む民族のひとつである「ヤマノミ族」。彼らは古くから狩りや漁、小規模な農業、植物採集などを生活手段としています。

Q3 レヴィ＝ストロースはなぜ、実存主義を否定したの？

A 何ら規定されていない「自由」な主体はどこにも実在しないと考えたからです。

レヴィ＝ストロースは『野生の思考』において、「自由」という観点から人間の存在の社会的責任を強調したサルトルの実存主義に対して、個人の行為は無意識のうちに社会構造に規定されているため、自由にはなり得ないとして批判します。さらに、この社会構造は普遍的であり、人間が個人として変えることはできないものだと主張しました。

レヴィ＝ストロースが生まれたベルギーのブリュッセル。レヴィ＝ストロースの両親はアルザス（フランス北東部）出身のユダヤ人の家系であり、第二次世界大戦中はユダヤ人迫害のためアメリカに移住していました。

レヴィ＝ストロースが考える「主体」… 個人の思考や行動は構造により規定される

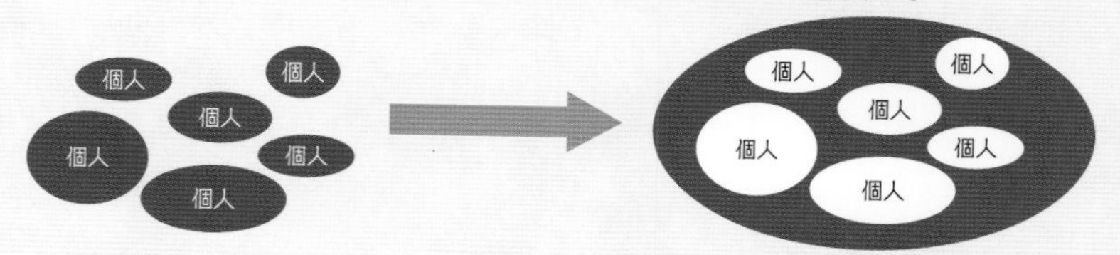
個人
個人
個人
個人
個人
個人
個人(主体)が集まって
全体ができるのではない
個人
個人
個人
個人
個人
個人
まず社会や文化という構造があり
その中の差異が個人(主体)

レヴィナスはハイデガーと同じように「存在」を問題にしましたが、２人の立場は大きく異なっています。ハイデガーにとって、自分の存在はあらかじめ自明であり、すべての存在者にとっての贈与とされました。これに対してレヴィナスは、世界や自分が存在しているということは、信じがたい、恐るべきことであると考えました。

Q「私」と「他者」について考えた哲学者はいる？

A　レヴィナスが独自の「他者論」を通じて「私」と「他者」の関係性を論じました。

レヴィナスはフッサールの現象学やハイデガーの存在論を批判しつつ、独自の「他者論」を展開したフランスの哲学者です。彼のいう「他者」とは他人や自分以外の人間という意味ではなく、決して「私」の思い通りにならない存在という意味の概念です。

ユダヤ人収容所での体験から、自身の哲学を展開しました。

第二次世界大戦中、ナチスによるユダヤ人収容所に捕らえられていたレヴィナスは、
そこで死を間近に感じたことで
「世界は自分の死とは無関係に存在し続ける」という事実に恐怖を抱くようになります。
この恐怖を「イリヤ」と呼び、自身の哲学を展開しました。
イリヤとは「～がある(Il y a)」というフランス語の表現ですが、
レヴィナスはこれを端的に「何かがある」という意味で用いています。

Q1 レヴィナスは「他者」についてどう考えたの？

A 「私」にとって、操作することのできない、理解することのできない存在であるとしました。

レヴィナスは「私に対して無関係にそこにあるもの」「私の主張を否定してくるもの」「決して理解できない何か」を「他者」と呼びました。この観点から見ると、「だれにも否定されない絶対的な真理」を創り出すのは不可能であることになります。

エマニュエル・レヴィナス（1906～1995年）。第二次世界大戦後のヨーロッパを代表する哲学者であるレヴィナスは、フッサールやハイデガーの現象学を出発点として独自の理論を構築しました。また、第二次世界大戦ではナチスの捕虜となり、家族・親族・友人のほとんどをユダヤ人収容所で失くしてしまいます。戦後はフランスの大学で哲学を講じ、ユダヤ教の教典であるタルムードの研究を続けました。

Q2 「私」にとって「他者」はどんな意味？

A 自己完結の孤独から救い出す唯一の可能性であるとされます。

レヴィナスは、他者は常に「私」を問いただし、それを受けた「私」は現在の「私」を超えるものを求めざるを得なくなると考えます。そして、このような他者による無限の応答への責任を果たすことが「倫理」であると論じました。

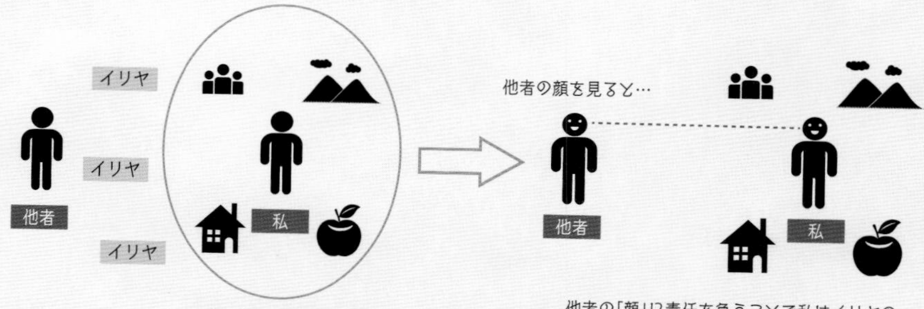

イリヤ
イリヤ
イリヤ
他者
私
私中心の世界
他者の顔を見ると…
他者
私
他者の「顔」に責任を負うことで私はイリヤの
恐怖が渦巻く私中心の世界から抜け出して、
無限へと向かうことができる

Q3 レヴィナスは倫理の根拠をどう考えたの？

A 他者の存在そのものを尊重し、それを迎え入れることにあるとしました。

貧困や暴力、死の恐怖におびえる他者の「顔」は、他者の存在を絶対的に尊重するよう、「私」の向こう側から直接告げ知らせてくるとレヴィナスはいいます。つまり、「私」とは異なる存在として、他者は「顔」を通して自己が理解できない何かを突き付けてくるのです。レヴィナスは、こうした他者を迎え入れ、他者からの訴えに責任を果たそうとするとき、倫理が成立すると考えました。

レヴィナスの故郷ロシア帝国のカウナス（現リトアニア）は、ネムナス川とニャリス川の合流地点にある市の中心部の歴史的な町並みで有名です。

Q 近代以降、「自由」についてはどう考えられてきたの？

A 「社会は自由でなければならない」という理念に基づいている点が、近代・現代社会の特質のひとつです。

ドイツ出身の哲学者ハナ・アレントは、近代以降の人間にとっての自由の条件に関する考察を行いました。アレントは自由とは、公共の領域で自らの属する共同体のあり方をともに決めていく言論に参加することにあるとします。また、自由と権力は対立せず、反対に正当な権力こそが自由の原理になると主張しました。

『至高の祭典』（ピエール＝アントワーヌ・ドゥマシー）。アレントは「アメリカ独立革命（1775 ～ 1783 年）」と「フランス革命（1789 ～ 1795 年）」を比較し、アメリカ独立革命は解放された人間同士の自由な活動、すなわち「自由（フリーダム）の創設」であったと評価しました。一方でフランス革命については、独裁者マクシミリアン・ロベスピエール（1758 ～ 1794 年）が革命の目的を“多数の人民の幸福”に置いたことで、自由ではなく豊かさが目指され、自由の創設には行きつかなかったとして否定的な見解を示しました。

自由を抑圧する近代社会の構造をアレントは分析しました。

ユダヤ人のアレントは、ナチスによる迫害から逃れるためにフランスに亡命しましたが、フランスでは敵国外国人(ドイツ人)であるために収容所へ入れられてしまいます。彼女はその後アメリカに亡命し、近代社会の問題点を批判するとともに、人間の「自由」について論じました。

Q1 ナチズムなどにみられる「全体主義」とは?

A 集団全体の利益が最優先とされ、個人は全体のために従属しなければならないとする思想のことです。

全体主義においては、個人の権利や自由な活動は一切認められず、すべてのものは国家の統制下に置かれてしまいます。また、個人は全体のために力を尽くすことが求められ、個人の利益は全体の目的を達成することでしか得られないとされました。

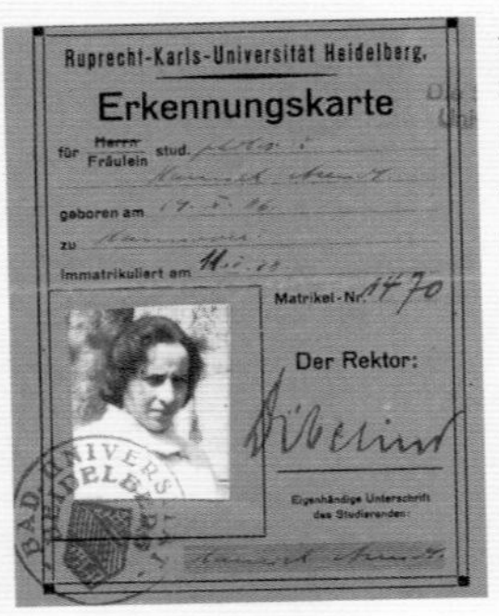
Ruprecht-Karls-Universität Heidelberg.
Erkennungskarte
für Herrn / Fräulein stud.
geboren am
zu
Immatrikuliert am
Matrikel-Nr. 1470
Der Rektor:
Eigenhändige Unterschrift des Studierenden:

ハイデルベルク大学在学時のアレントの学生証。アレントはマールブルク大学卒業後、フライブルク大学にいたフッサール、そしてハイデルベルク大学にてカール・ヤスパースから指導を受けました。

ハナ・アレント(1906～1975 年)。ドイツ・ケーニヒスベルクのユダヤ人家庭に生まれたアレントは、1924 年(当時 18 歳)に入学したマールブルク大学でハイデガーに出会い、自ら「初めての情事」と表現するほど哲学に傾倒しました。

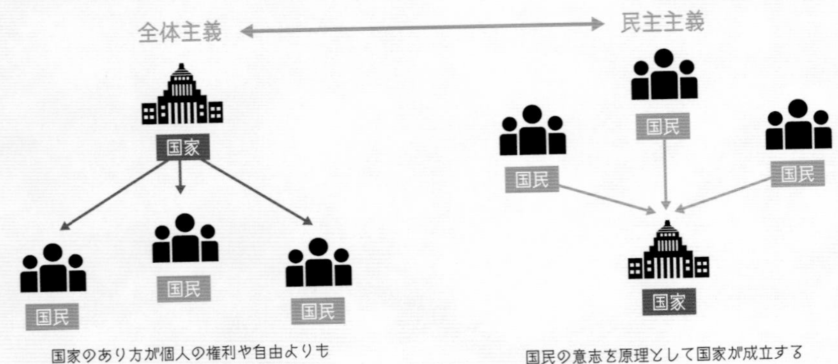
全体主義
民主主義
国家
国民
国民
国民
国民
国民
国民
国家
国家のあり方が個人の権利や自由よりも優先され、国民は国家に服従する
国民の意志を原理として国家が成立する

Q2 「自由」を支える条件って何？

A 人間には「労働」「仕事」「活動」の3つの「活動力」があり、これが全体として人間的自由を支えているとアレントは考えます。

『人間の条件』でアレントは、生命維持のための活動を「労働」、生命維持を超えて人々の間に世界を創り出す製作活動を「仕事」、個々人の間の差異と独自性を認めたうえで対等に行われる言論を「活動」という言葉で呼びました。自由は「活動」の領域で実現されるものですが、近代社会では「労働」が偏重されるようになったため自由の実現が難しくなっているといいます。

労働 → **仕事** → **活動**

- 労働：生命を維持するために食物を手に入れる
- 仕事：生命維持を超えて文化的な世界を創る
- 活動：公共的な場で対等に行われる言論

利益に縛られない、人間に相応しい自由な行為

Q3 なぜ近代社会では労働が重視されるようになったの？

A アレントによると、キリストの生命観にあるといいます。

アレントは古代ギリシアの都市国家（ポリス）には、家族の生活がある「私的領域」と、言論により政治共同体のメンバーと関わる「公的領域」があり、自由を公的領域で実現するための条件が備わっていたと考えました。しかし、人間の生命を重視するキリスト教の出現によって、労働は聖なる義務として扱われるようになり、人々は主に産業経済のうちで労働するのみで、公的領域へと現れ出ることのない「大衆」になってしまったといいます。

古代ギリシアのポリス・アテナイで活躍した政治家であるペリクレス（紀元前495～前429年）がスピーチをする様子を描いたもの（作 フィリップ・フォン・フォルツ）。ペリクレスは、富裕市民だけでなく、それまで選挙権を持たなかった一般市民の政治参加を促進するなどして、アテナイにおける「民主政治」を完成させた民主主義指導者として知られています。

1941年、アメリカのニューヨークに亡命したアレントは市民権獲得後、自ら経験した全体主義とそれを生み出した大衆社会を分析し、アメリカの大学で教鞭をとる一方、最晩年に至るまで活発な言論活動を展開しました。

ポストモダン思想

マルクス主義が力を失った後、1950年代後半から「ポスト構造主義（ポストモダン思想）」が現れてきます。ポストモダン思想とは、近代社会の制度が矛盾を生み出すものであると主張し、反権力、反制度、反普遍性といった構えを強く推し出した思想のことを指します。

フランスを中心に興ったポストモダン思想を代表する思想家としては、後に紹介するフーコーやデリダ、さらにドゥルーズ（1925～1995 年）などが知られています。

Q 近代哲学の後、普遍性の概念はどう考えられるようになったの？

人間のものの見方や行動は時代によって変わるものであり普遍的なものではないと考えたフーコーは、主著『言葉と物』において「人間は、我々の思考の考古学によってその日付の新しさが容易に示されるような発明にすぎない」と述べました。

A 「普遍的なものは存在しない」という考えが一般的になります。

ポストモダン思想が主流となった20世紀後半、人間の自由や平等といった理念から、家族や国家といった制度に至るまで、近代社会それ自体の構造が再検討されるようになります。フランスの哲学者フーコーは、歴史上の膨大なデータをもとに近代社会の制度や構造など、「普遍的」と捉えられているものに絶対的な根拠は存在しないことを明らかにしようと試みました。

各時代の「知の枠組み」に従って、人々は世界を認識しています。

フーコーはそれぞれの時代には異なる「エピステーメー(=知の枠組み)」が存在しており、
人々はそれに従って世界を認識していると考えました。
「近代」もまた、時代の流れの中で現れてきたひとつの状態にすぎないといいます。
つまり、近代的な規律や制度などに関して認められている普遍性は、
あくまで近代固有のエピステーメーによって成立する見方にすぎないと主張したのです。

Q 普遍性の概念が相対的なら、科学は成立しないのでは?

A フーコーは、「人文科学」は相対的な知の体系にすぎないといいます。

フーコーは「人間」という概念は近代固有のエピステーメーで成立するにすぎず、人間の活動一般を対象とする言語学や生物学、経済学といった人文科学は絶対的な知の体系ではないといいます。フーコーからすると「現実そのものを正しく写し取ることができるはずだ」という科学の前提それ自体が、近代に特有の見方であるというのです。

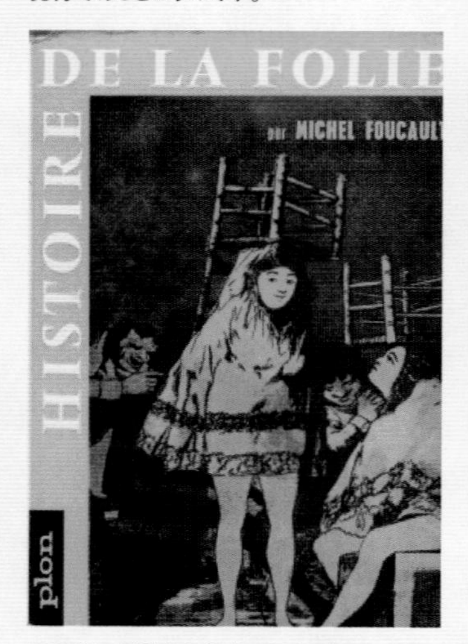

1961年に出版された『狂気の歴史』(Librerie Plon版)。この他にフーコーの代表作として『臨床医学の誕生(1963年)』『言葉と物(1966年)』『監獄の誕生(1975年)』などがあります。

ミシェル・フーコー(1926～1984年)。フランスのポワティエ市出身のフーコーは、ドイツ軍のパリ占領、連合軍によるパリ解放という激動の10代を送りました。パリ大学卒業後は文化外交官として海外で活動し、フランスに帰国したのちに最初の大著『狂気の歴史(1961年)』を出版しました。

Q2 絶対的なものが存在しないなら、この「私」もまた不確実なの？

A フーコーは「私」という概念を、近代社会の「権力」により構成されたものであり、それ自体で確立したものではないと考えました。

私たち人間は、学校や会社、軍隊、病院といったあらゆるシステム（制度）によって身体的・心理的に規定されているとフーコーはいいます。それらの制度には近代社会における権力が反映されており、この権力が人間の行為や嗜好、欲望を定め、「私」という主体をそのシステムに適合するように構築していると考えました。

会社
学校
権力
私
権力によって
「私」という概念が
構成される

Q3 なぜフーコーはこのような思想を提唱したの？

A 客観的な「人間」という概念を定めることで、それにおさまらない多様なあり方が抑圧されてしまうと危惧していたからです。

19世紀以来、近代社会には露出症やフェティシズムといった性的倒錯（性欲が質的に異常な状態）の概念が生まれ、これらに該当する者は社会から排除すべきだと考えられました。自身も同性愛者であったフーコーはそのことに深く苦悩したのです。

パノプティコン

フーコーは近代社会を「パノプティコン」と呼ばれる監獄の構造にたとえました。パノプティコンでは、中心の円柱の建物の中から監視員が囚人たちを見張り、囚人側からはその監視員の姿が見えない構造になっています。よって、囚人たちはつねに規律を守るように規律づけられる、ということです。

Q ポストモダン思想では普遍的な真理についてどう考えたの？

言語に着目したデリダは、近代哲学が真理への欲求に取りつかれていると批判したうえで、「意味は確固とした原理ではなく、差異の運動によって生じてくる」と主張します。

A　真理という考えそれ自体が否定されました。

ポストモダン思想の代表的な思想家として知られるデリダは、西洋文明が「音声中心主義」であると主張します。彼は全体主義に行き着いたマルクス主義的な思想を念頭に、「書かれた文章」や「話された言葉」の背後に真意があるという考えの枠組みは、多様性を認めない抑圧的なものであると批判しました。

伝統的な西洋哲学の「脱構築」をデリダは試みました。

デリダは西洋哲学を支えていた「真／偽」「善／悪」「自我／他我」「男／女」などの対立する概念（二項対立）には絶対的な根拠がないと論じました。
その際に用いられた手法が「脱構築」です。
脱構築の観点から、それまでの哲学で探求された普遍性や客観性の相対化を試みたのです。

Q1 デリダは対立する2つの概念をどうやって「脱構築」したの？

A ある概念を成り立たせている絶対的な原理は存在しないと論じることによって「脱構築」を行いました。

デリダは同じ著者が書いた文章のうちに、真理を打ち立てようとする傾向と、反対にその真理を解体しようとする傾向の２つを同時に見て取ることによって、ある言葉とその意味が厳密に対応しているという考えは成り立たないことを示そうと試みました。

ジャック・デリダ（1930 ～ 2004 年）は、当時フランスの植民地であったアルジェリアでユダヤ人の両親のもとに生まれ、1951 年にパリの高等師範学校に入学し哲学を学びました。

会話の目的は「話し手の意図」と「聞き手の解釈」を一致させること
しかし、厳密な一致はそもそもありえない

①意図

②発話
話し手

③聞く

聞き手

④解釈

Q2 「音声中心主義」って何？

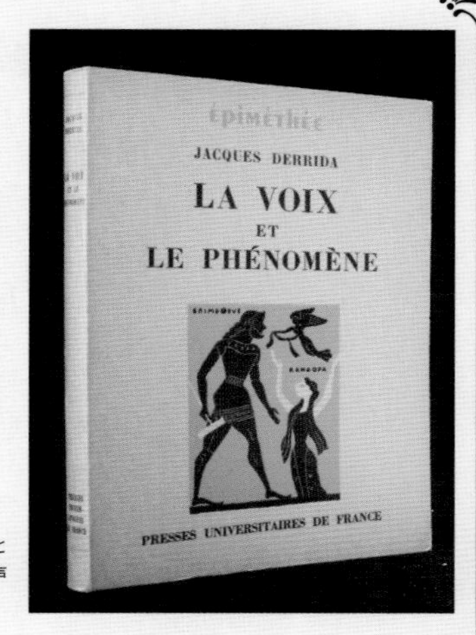

A 言葉は思考を正しく表現できるという考えのことです。

デリダによると、哲学の伝統的な見方では言葉と思考は対応しており、言葉は思考を正しく反映すると考えられてきたといいます。デリダは思考が「真理」の源泉であるとするこの構図を「音声中心主義」と呼び、これが意味をめぐる多様性を抑圧するものとして批判しました。

1967年に出版された『声の現象』の表紙。同年『エクリチュールと差異』『グラマトロジーについて』を発表したデリダは、一挙に名声を確立しました。

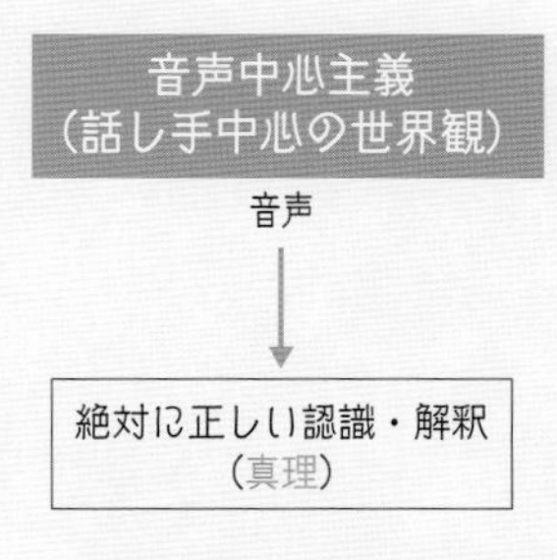

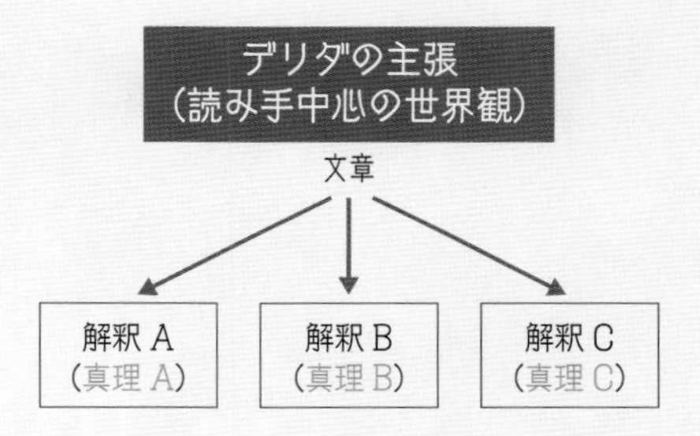

Q3 言葉の意味を正しく解釈することはできるの？

A 不可能だとデリダはいいます。

「聞き手の解釈」と「話し手の意図」がかみ合わない場合、そのコミュニケーションは成立しません。デリダは何度言葉のやり取りを繰り返したとしても、その言葉の意味は、どこまでも「聞き手による解釈」にすぎず、話し手が意図する言葉の意味を正確に把握することはできないと考えました。

デリダが生まれたアルジェリアのアルジェのエルビアール地区の風景。デリダの学説は、構造主義以降の思想だけでなく、文学や芸術など様々な分野に影響を与えました。

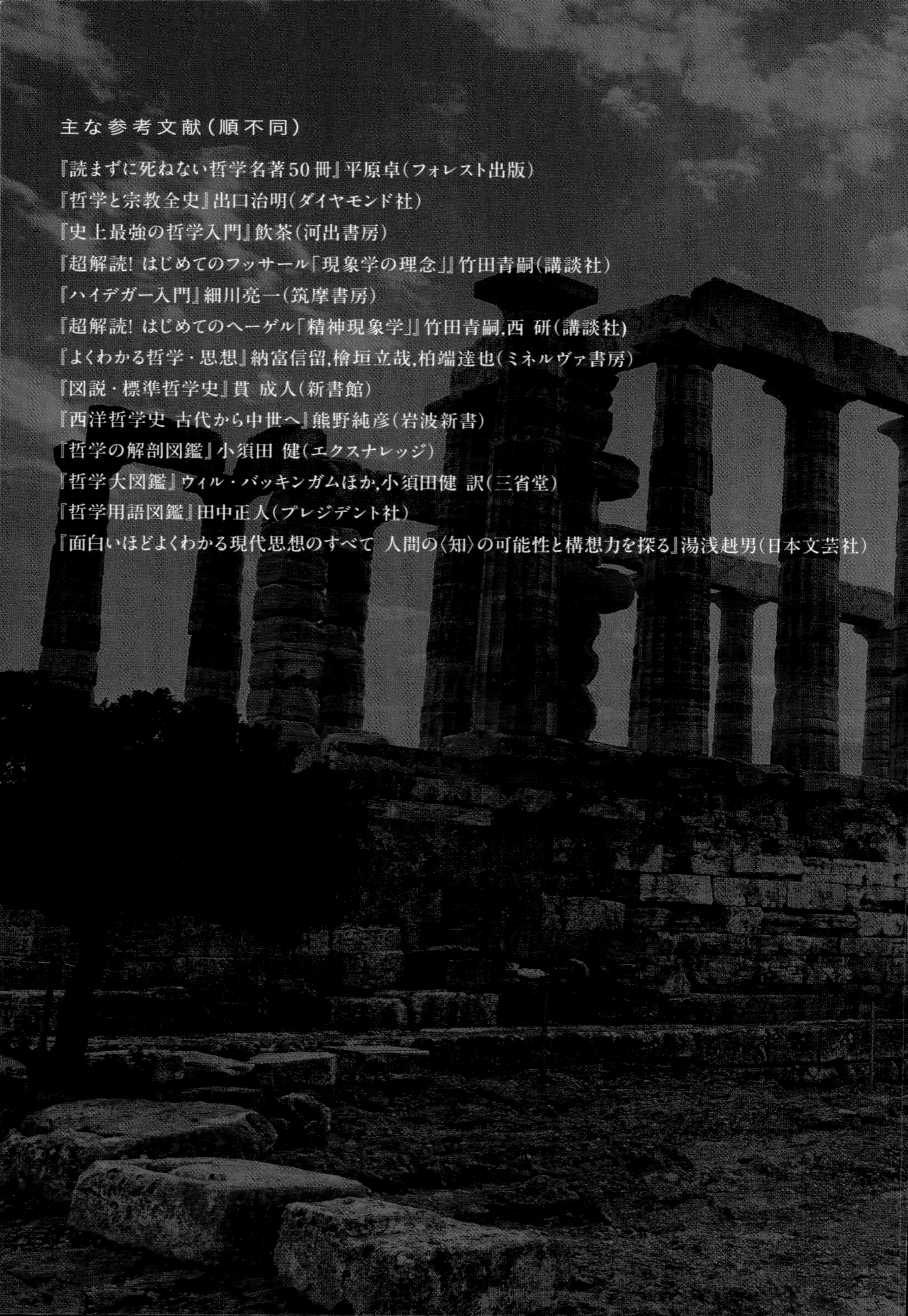

主な参考文献（順不同）

『読まずに死ねない哲学名著50冊』平原卓（フォレスト出版）
『哲学と宗教全史』出口治明（ダイヤモンド社）
『史上最強の哲学入門』飲茶（河出書房）
『超解読！ はじめてのフッサール「現象学の理念」』竹田青嗣（講談社）
『ハイデガー入門』細川亮一（筑摩書房）
『超解読！ はじめてのヘーゲル「精神現象学」』竹田青嗣,西 研（講談社）
『よくわかる哲学・思想』納富信留,檜垣立哉,柏端達也（ミネルヴァ書房）
『図説・標準哲学史』貫 成人（新書館）
『西洋哲学史 古代から中世へ』熊野純彦（岩波新書）
『哲学の解剖図鑑』小須田 健（エクスナレッジ）
『哲学大図鑑』ウィル・バッキンガムほか,小須田健 訳（三省堂）
『哲学用語図鑑』田中正人（プレジデント社）
『面白いほどよくわかる現代思想のすべて 人間の〈知〉の可能性と構想力を探る』湯浅赳男（日本文芸社）

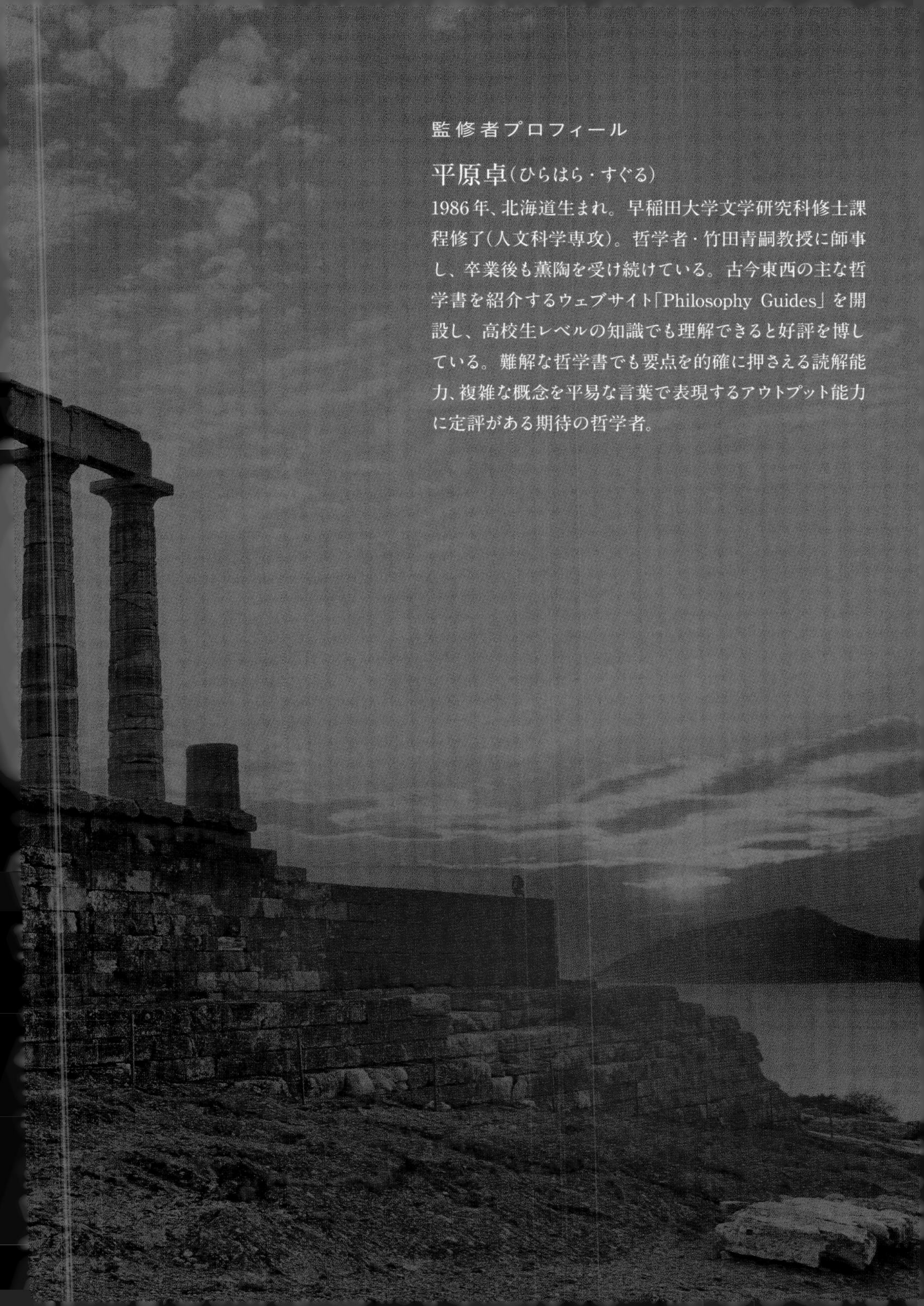

監修者プロフィール

平原卓(ひらはら・すぐる)

1986年、北海道生まれ。早稲田大学文学研究科修士課程修了(人文科学専攻)。哲学者・竹田青嗣教授に師事し、卒業後も薫陶を受け続けている。古今東西の主な哲学書を紹介するウェブサイト「Philosophy Guides」を開設し、高校生レベルの知識でも理解できると好評を博している。難解な哲学書でも要点を的確に押さえる読解能力、複雑な概念を平易な言葉で表現するアウトプット能力に定評がある期待の哲学者。

世界でいちばん素敵な
哲学の教室

2023年7月15日　第1刷発行

監修　平原卓
編集・文　オフィス三銃士
デザイン　渡邊規美雄
装丁　公平恵美

写真・イラスト　shutterstock
PhotoAC
IllustAC
Wikimedia commons

発行人　塩見正孝
編集人　神浦高志
販売営業　小川仙丈
中村崇
神浦絢子

印刷・製本　図書印刷株式会社

発行　株式会社三才ブックス
〒101-0041
東京都千代田区神田須田町2-6-5 OS'85ビル
TEL：03-3255-7995
FAX：03-5298-3520
http://www.sansaibooks.co.jp/
mail　info@sansaibooks.co.jp
facebook　https://www.facebook.com/yozora.kyoshitsu/
Twitter　@hoshi_kyoshitsu
Instagram　@suteki_na_kyoshitsu